World Sign 2
MARKS-LOGOS

ワールド サイン 2/マーク・ロゴ編

目次

WORLD SIGN 2
— MARKS · LOGOS —

Edited by Graphic-sha

First published in 1993 by
Graphic-sha Publishing Co., Ltd. ©
1-9-12, Kudan-kita, Chiyoda-ku, Tokyo 102 Japan
Phone: 81-3-3263-4318
Fax: 81-3-3263-5297

Printed in Japan by Nissha Printing Co., Ltd.
ISBN 4-7661-0742-X

contents

本書は 快適な環境づくりがすすむ地域や街の中で 成功する店舗やオフィスのサイン・外観（ファサード）づくりのデザイン用資料として 世界の街角から集めた写真を中心に構成したソース集です。
文字やマークをメインにした 立体および平面のサインボードと それらのサインボードのある建物のファサードに店舗やオフィスに応用できると思われる道路や公共施設の標識を加え 約1,200カットを収集。データとして業種と撮影地名を加えました。
サイン計画 店舗プランニングなどの資料として拡くお薦めいたします。
また 街の中の面白いサインを編集部あてにご連絡いただければ 次回の取材の参考にさせていただきます。自薦 他薦は問いません。
グラフィック社〈編集部・ワールド サイン係〉
〒102 東京都千代田区九段北1-9-12

This book is a collection of photos of marks and logos found in different streets in the world, and is intended to serve as a design source to refer to by those who wish to make a successful sign or facade of a shop or office in an area or street whose environment is becoming increasingly comfortable.
The book covers about 1,200 cuts of cubic and plane signboards which mainly use letters and marks, facades of buildings having such signboards, and also road or public facility signs which may be applied to shops or offices, by classifying them according to style, theme, etc. Types of business and name of location where photos were taken are also added as data.
It is recommended to refer to the book when planning or designing a sign or shop.
It is requested that you inform us of any interesting sign found in the street. We would like to refer to it when editing the next book. Either a sign recommended by yourself or any other is acceptable.

Graphic-sha Publishing Co., Ltd.
<World Sign Section Editorial Department>
1-9-12, Kudan-kita, Chiyoda-ku, Tokyo 102 Japan

ビストロ/イタリア・ミラノ
bistro/Milano, Italy

store front
ストアフロント

① ②

⑥ ⑦

⑪ ⑫

1：ファストフード レストラン/スイス・
　　モントルー
2：テクスメックスレストラン/東京・渋谷
3：シューズ/ドイツ・フランクフルト
4：ファニチュア＆インテリア/アメリカ・
　　ニューヨーク
5：ファッション ブティック/広島市
6：ワインバー/フランス・パリ
7：インテリア用品/フランス・パリ

8：レストラン/フランス・パリ
9：美容室/広島・福山市
10：中国料理レストラン/フランス・パリ
11：ショールーム（インテリア）/ドイツ・
　　フランクフルト
12：シューズ/イタリア・フィレンツェ
13：カフェ＆ブックストア/アメリカ・
　　ロサンゼルス
14：スーベニール/北海道・小樽市

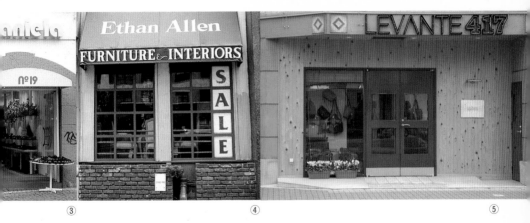

③　④　⑤

⑧　⑨　⑩

⑬　⑭

1 : fastfood restaurant/Montreux, Switzerland
2 : Tex Mex restaurant/Shibuya, Tokyo, Japan
3 : shoes/Frankfurt, Germany
4 : faniture & interiors/New York, U.S.A.
5 : fashion boutique/Hiroshima city, Japan
6 : wine bar/Paris, France
7 : interior ware/Paris, France
8 : restaurant/Paris, France
9 : beauty salon/Fukuyama city, Japan
10 : Chinese restaurant/Paris, France
11 : showroom(interior)/Frankfurt, Germany
12 : shoes/Firenze, Italy
13 : cafe & book store/Los Angeles, U.S.A.
14 : souvenir/Otaru city, Japan

⑮ ⑯

⑳ ㉑

㉕ ㉖

⑰ ⑱ ⑲

㉓ ㉔

㉗ ㉘ ㉙

15 : bakery/Düsseldorf, Germany
16 : fashion boutique/Paris, France
17 : pizza restaurant/Paris, France
18 : fashion boutique/Kumamoto city, Japan
19 : men's boutique/Firenze, Italy
20 : game center/Machida city, Tokyo, Japan

21 : sports ware/Shinjuku, Tokyo, Japan
22 : fashion boutique/Los Angeles, U.S.A.
23 : fashion boutique/Roma, Italy
24 : beauty salon/Paris, France
25 : fashion boutique/Jiyukgaoka, Tokyo, Japan
26 : Italian restaurant/Suidobashi, Tokyo, Japan

27 : men's boutique/Hamburg, Germany
28 : bed's wear/Versailles, France
29 : gallery/Paris, France

9

①

②

③

④

⑤

1：倉庫／アメリカ・ニューヨーク
2：レストラン／アメリカ・ニューヨーク
3：イタリア料理レストラン／アメリカ・
　　ニューヨーク
4：テーマパーク／東京・町田市
5：テレビ局／アメリカ・ニューヨーク

1：warehouse／New York, U.S.A.
2：resutaurant／New York, U.S.A.
3：Italian restaurant／New York, U.S.A
4：theme park／Machida city, Tokyo,
　　Japan
5：television station／New York, U.S.A.

⑥

⑦

⑧

⑨

6：ビルディング/フランス・パリ
7：ホテル/アメリカ・ニューヨーク
8：銀行/アメリカ・ニューヨーク
9：ウォールペインティング/アメリカ・
　　ニューヨーク

6 : building/ Paris, France
7 : hotel/ New York, U.S.A.
8 : bank/ New York, U.S.A.
9 : wall painting/ New York, U.S.A.

⑩

⑪

⑫

10：自動車修理/アメリカ・ニューヨーク
11：ウォールペインティング/アメリカ・
　　ニューヨーク
12：ナイトクラブ/オランダ・アムステルダム

13：ウォールペインティング/アメリカ・
　　ニューヨーク
14：クレープレストラン/フランス・パリ

(13)

(14)

10 : automobile repairs/New York, U.S.A.

11 : wall painting/New York, U.S.A.

12 : night club/Amsterdam, Netherlands

13 : wall painting/New York, U.S.A.

14 : crépe restaurant/Paris, France

 alphabet

アルファベット

②

①

③

④

⑤

⑥

1：レストラン/フランス・パリ
2：玩具/アメリカ・ロサンゼルス
3：ファッション ブティック/フランス・パリ
4：スポーツ用品/広島市
5：ファッション ブティック/石川・金沢市
6：ファッション ブティック/ベルギー・リージェ
7：オフィス/東京・新宿

1 : restaurant/ Paris, France
2 : toy/ Los Angeles, U.S.A.
3 : fashion boutique/ Paris, France
4 : sports goods/ Hiroshima city, Japan
5 : fashion boutique/ Kanazawa city, Japan
6 : fashion boutique/ Liège, Belgium
7 : office/ Shinjuku, Tokyo, Japan

⑧

⑩

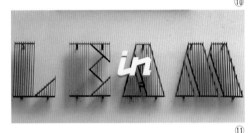

⑨

⑪

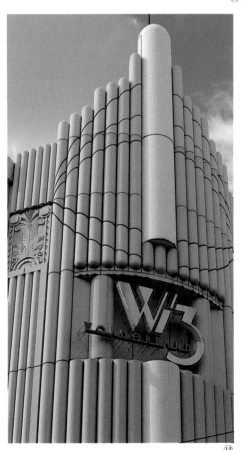

⑫

⑬

18

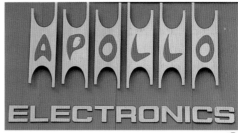

(14)

(16)

(15)

(17)

(18)

(19)

(20)

(21)

(22)

(23)

(24)

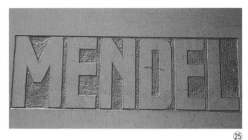

(25)

(26)

(27)

(28)

(29)

(30)

merzenich

(31)

(32)

POST Giro

(33)

(34)

(35)

M A D E M O I S E L L E
NONNON

(36)

(37)

(38)

(39)

20 : fashion boutique/Paris, France
21 : fashion boutique/Roma, Italy
22 : book store/Milano, Italy
23 : game center/Hiroshima city, Japan
24 : fashion boutique/Düsseldorf, Germany
25 : fashion boutique/Paris, France
26 : commercial building/Sibuya, Tokyo, Japan
27 : commercial building/Atsugi city, Japan

28 : fashion boutique/Bern, Switzerland
29 : children's ware/Shibuya, Tokyo, Japan
30 : fashion boutique/Roma, Italy
31 : bakery/Köln, Germany
32 : children's ware/Osaka city, Japan
33 : office/Oslo, Norway
34 : sign/Hadano city, Kanagawa, Japan
35 : shose/Napoli, Italy
36 : fashion boutique/Naha city, Okinawa, Japan

37 : convenience store/Hakodate city, Japan
38 : fashion boutique/Paris, France
39 : theater/Oslo, Norway

④⓪ ④①

④② ④③

④④ ④⑤

④⑥ ④⑦

④⑧ ④⑨

(50)

(51)

(52)

(53)

(54)

(55)

(56)

(57)

(58)

(59)

40 : souvenir/Roma, Italy
41 : photo labo/London, U.K.
42 : cafe/Yokohama city, Japan
43 : sports ware/Frankfurt, Germany
44 : interior goods/Düsseldorf, Germany
45 : wine bar/Shinjuku, Tokyo, Japan
46 : department store/Köln, Germany
47 : fashion boutique/Shibuya, Tokyo, Japan
48 : restaurant/Romantiche Strasse, Germany

49 : department store/Honolulu, Hawaii, U.S.A.
50 : fashion boutique/Okayama city, Japan
51 : fashion boutique/Kanazawa city, Japan
52 : copy service/London, U.K.
53 : hotel/Frankfurt, Germany
54 : office building/Obihiro city, Japan
55 : fancy goods/Daikanyama, Tokyo, Japan

56 : uniform/Nagoya city, Japan
57 : beauty salon/Nagasaki city, Japan
58 : fashion boutique/Takayama city, Japan
59 : commercial building/Osaka city, Japan

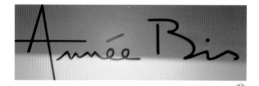
(60)

(61)

(62)

(63)

(64)

(65)

(66)

(67)

(68)

(69)

(70)

(71)

(72)

(73)

(74)

(75)

(76)

(77)

(78)

(79)

⑧⓪

⑧①

⑧②

⑧③

⑧④

⑧⑤

⑧⑥

⑧⑦

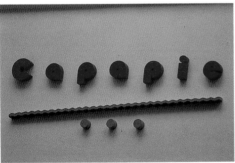

⑧⑧

⑧⑨

80 : shoes / Ueno, Tokyo, Japan
81 : tea room / Shibuya, Tokyo, Japan
82 : dentist / Düsseldorf, Germany
83 : perfume & fashion boutique /
     Düsseldorf Germany
84 : surfer's shop / Kamakura city, Japan
85 : fancy googs / Shibuya, Tokyo

86 : rental video & disk / Sagamihara
     city, Japan
87 : fashion boutique / Roma, Italy
88 : fashion boutique / Kobe city, Japan
89 : fancy goods / Shibuya, Japan

(90)

SQUBA DIVING SCHOOL & PROSHOP

(91)

(92)

(93)

(94)

(95)

(96)

(97)

90：ファッション ブティック/韓国・ソウル
91：ダイビングスクール＆ショップ/神奈川・
　　鎌倉市
92：スニーカーショップ/熊本市
93：フローリスト/東京・千駄ケ谷
94：カジノ/アメリカ・ラスベガス
95：パブ/東京・原宿
96：商業施設/東京・六本木

97：パブ/東京・八王子市
98：レコード/北海道・帯広市
99：ファッション ブティック/ドイツ・デュッ
　　セルドルフ
100：ファッション ブティック/イタリア・ロ
　　ーマ
101：レストラン/イギリス・ロンドン
102：カフェ/岡山市

103：ステーショナリー/岡山市
104：ディスカウントストア/東京・町田市
105：バー/神戸市

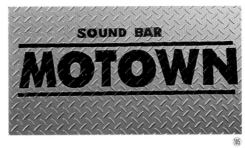

90 : fashion boutique/Seoul, Korea
91 : squbadiving school & shop/ Kamakura city, Japan
92 : sneaker shop/Kumamoto city, Japan
93 : florist/Sendagaya, Tokyo, Japan
94 : casino/Las Vegas, U.S.A.
95 : pub/Harajuku.Tokyo, Japan
96 : commercial building/Roppongi, Tokyo, Japan
97 : pub/Hachioji city, Tokyo, Japan
98 : disc/Obihiro city, Japan
99 : fashion boutique/Dusseldorf, Germany
100 : fashion boutique/Roma, Italy
101 : restaurant/London, U.K.
102 : cafe/Okayama city, Japan
103 : stationery/Okayama city, Japan
104 : discount store/Machida city, Tokyo, Japan
105 : bar/Kobe city, Japan

YAMATOYA

(106)

baïou
iSH MAISON

(107)

LIBRI per voi

(108)

ITOKIN
minna

(109)

TRADE CAFÉ & BAR
KUSU·KUSU

(110)

GINZA
DIANA

(111)

VOCALSTAR
MaKNIGHT

(112)

TAPETENAG
Wohnatmosphären

(113)

(114)

(115)

(116)

(117)

(118)

(119)

(120)

(121)

106 : fashion boutique/Takayama city,
    Japan
107 : fashion boutique/Kobe city, Japan
108 : book store/Milano, Italy
109 : fashion boutique/Okayama city,
    Japan
110 : cafe & bar/Okayama city, Japan
111 : shoes/Osaka city, Japan

112 : 'karaoke'/Hiroshima city, Japan
113 : stationery/Zürich, Switzerland
114 : office/Paris, France
115 : office/Paris, France
116 : game center/Shinjuku, Tokyo,
    Japan
117 : commercial building/Yokohasma
    city, Japan

118 : fashion boutique/Shibuya, Tokyo,
    Japan
119 : fancy goods(cat) & accessory/
    Shibuya, Tokyo, Japan
120 : guitar shop/Shibuya, Tikyo, Japan
121 : restaurant/Takayama city, Japan

(122)

(123)

(124)

(125)

(126)

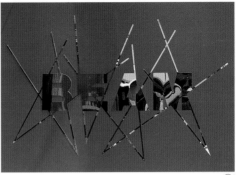

TEX MEX FOOD

(130)

(131)

(132)

(133)

(134)

(135)

CHILD CLUB
ZOO

(136)

(137)

(138)

(139)

(140)

(141)

(142)

(143)

(144)

(145)

SUNTORY SHOT BAR
BROSTO
CAFÉ

(146)

DANIELA

(147)

TOBU

(148)

JUST

(149)

Stile all' ultima moda.
Uno

(150)

ISC
イ　ス　ク

(151)

PIT INN
CAFE & BAR

(152)

A
TRIPPER

(153)

146：カフェ＆バー/札幌市
147：ファッション ブティック/イタリア・ミラノ
148：百貨店/東京・池袋
149：ホテル/札幌市
150：ファッション ブティック/広島・尾道市
151：インテリア用品/福岡市
152：カフェバー/北海道・函館市
153：スポーツウエア/東京・青山
154：ファッション ブティック/広島市

155：オフィス/フランス・パリ
156：ファッション ブティック/台湾・台北市
157：バー/大阪市
158：メンズ ブティック/広島市
159：スポーツ用品/アメリカ・ロサンゼルス
160：ファッション ブティック/横浜市
161：商業施設/大阪市

(154)

(155)

(156)

(157)

(158)

(159)

(160)

(161)

146 : cafe & bar/Sapporo city, Japan
147 : fashion boutique/Milano, Italy
148 : department store/Ikebukuro, Tokyo, Japan
149 : hotel/Sapporo city, Japan
150 : fashion boutique/Onomichi city, Japan
151 : Interior ware/Fukuoka city, Japan

152 : cafe & bar/Hakodate city, Japan
153 : sports wear/Aoyama, Tokyo, Japan
154 : fashion boutique/Hiroshima city, Japan
155 : office/Paris, France
156 : fashion boutique/Taipei, Taiwan
157 : bar/Osaka city, Japan

158 : men's boutique/Hiroshima city, Japan
159 : sports ware/Los Angeles, U.S.A.
160 : fashion boutique/Yokohama city,Japan
161 : commercial building/Osaka city, Japan

LET THEM EAT CAKE

(162)

ABC cinema

MONA LISA
DET HANDLER OM PENGE
BARE EN GANG TIL
VÆRELSE MED UDSIGT

(163)

fnac
MUSIQUE
horaires d'ouverture
lundi de 10 h à 20 h
mardi de 10 h à 20 h
mercredi de 10 h à 22 h
jeudi de 10 h à 20 h
vendredi de 10 h à 22 h
samedi de 10 h à 20 h
sans interruption

(164)

GRAND HOTEL ET DE MILAN

(165)

NEW YORK ARTISTS EQUITY ASSOCIATION, INC.

(166)

HOME COOKING
FOOD-DRINK
KIYOMIAN BOX

(167)

ALHAMBRA
'N TUSCHINSKI THEATER
DE BESTE FILMS

(168)

IMPORT GOODS
AOIME

(169)

za HOUSE

(170)

Bata
Bata
Bata
Bata

(171)

Yes
Drink
Coke
Yes

(172)

KAROSS

(173)

38

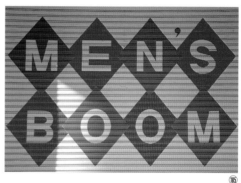

(198)

(199)

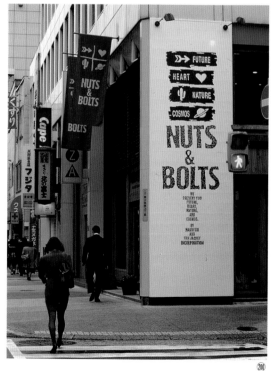

(200)

198：ファッション ブティック/スウェーデン・
　　ストックホルム
199：ファッション ブティック/イギリス・
　　ロンドン
200：ファッション ブティック/札幌市
201：レストラン/東京・自由が丘
202：カフェ/イタリア・ローマ
203：ファッション ブティック/北海道・帯広市

198 : fashion boutique/Stockholm, Sweden
199 : fashion boutique/London, U.K.
200 : fashion boutique/Sapporo city,
　　 Japan
201 : restaurant/Jiyugaoka, Tokyo, Japan
202 : cafe/Roma, Italy
203 : fashion boutique/Obihiro city,
　　 Japan

204：商業施設／東京・渋谷
205：バー／京都市
206：ショッピングモール／広島・尾道市
207：ギャラリー／東京・渋谷
208：ファッションビル／神奈川・鎌倉市

204 : commercial building/Shibuya,
        Tokyo, Japan
205 : bar/Kyoto city, Japan
206 : shopping mall/Onomichi city, Japan
207 : gallery/Shibuya, Tokyo, Japan

208 : fashion building/Kamakura city,
        Japan

FAUSTO SANTINI

(209)

(210)

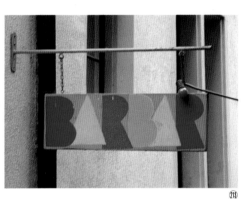

209：シューズ/イタリア・ローマ
210：シューズ/イタリア・ローマ
211：バー/東京・原宿
212：旅行代理店/ドイツ・ケルン
213：理容室/スイス・チューリッヒ
214：家電/スウェーデン・ストックホルム
215：ファッション ブティック/石川・金沢市
216：ゲームセンター/福岡市

209 : shoes/ Roma, Italy
210 : shoes/ Roma, Italy
211 : bar/ Harajuku, Tokyo, Japan
212 : travel agent/ Köln, Germany
213 : barber shop/ Zürich Switzerland
214 : electrical appliances/ Stockholm,
     Sweden
215 : fashion boutique/ Kanazawa city,
     Japan
216 : game center/ Fukuoka city, Japan

(217)

(218)

(219)

(220)

(221)

(222)

(223)

(224)

(225)

(226)

(227)

(228)

(229)

(230)

(231)

(232)

(233)

(234)

(235)

(236)

(237)

(238)

(239)

231：美容室/岡山市
232：オフィス（電話）/東京・新宿
233：美容室/広島市
234：ファッション ブティック/熊本市
235：ファッション ブティック/岐阜・高山市
236：布地/広島・尾道市
237：美容室/東京・自由が丘
238：ホテル/札幌市
239：プレイガイド/東京・渋谷
240：美容室/岡山市
241：カフェ＆レストラン/神奈川・相模原市
242：ファッション ブティック/イタリア・フィレンツェ
243：ショールーム（インテリア）/大阪市
244：ファッション ブティック/神奈川・鎌倉市

231 : beauty salon/Okayama city, Japan
232 : office(telephone)/Shinjyuku, Tokyo, Japan
233 : beauty salon/Hiroshima city, Japan
234 : fashion boutique/Kumamoto, Japan
235 : fashion boutique/Takayama city, Japan
236 : cloth/Onomichi city, Japan
237 : beauty salon/Jiyugaoka, Tokyo, Japan
238 : hotel/Sapporo city, Japan
239 : play guide/Sibuya, Tokyo, Japan
240 : beauty salon/Okayama city, Japan
241 : cafe & restaurant/Sagamihara city, Japan
242 : fashion boutique/Firenze, Italy
243 : showroom(interior)/Osaka city, Japan
244 : fashion boutique/Kamakura city, Japan

Chinese character

漢字

①

②

KUSHIYAKI SAMURAI

③

⑤

GRAND TARVEN

⑥

④

USAGIYA

⑪

1：和紙/神奈川・小田原市
2：日本茶/神奈川・小田原市
3：串焼/仙台市
4：焼鳥/東京・町田市
5：蕎麦/岐阜・高山市
6：会員制クラブ/沖縄・那覇市
7：和食/香川・丸亀市
8：居酒屋/東京・下北沢

9：和食/東京・新宿
10：日本料理/神戸市
11：土産品/岐阜・高山市
12：記念館/岐阜・高山市
13：和食/岐阜・高山市
14：京料理/京都市
15：民芸品/岐阜・高山市

⑦

FLY HATA FLY
TO ANYWHERE
TILL THE END
OF THE WORLD
4196379 · · · ·

HATA

⑧

THE

Healthy and natural.
With quality seafood
from round
the world,
Neptune
new wave taste
—— THE DON.

⑨

神戸料理
旬・昔・旬・菜

HANEKI

⑩

⑬   ⑭   ⑮

1 : Japanese paper/Odawara city,
Japan
2 : Green tea/Odawara city, Japan
3 : tavern/Sendai city, Japan
4 : 'yakitori'(roast fowl)/Machida city,
Tokyo, Japan
5 : 'soba'(buckwheat noodls)/Takayama
city, Japan

6 : member's club/Naha city, Okinawa,
Japan
7 : Japanese restaurant/Marugame
city, Japan
8 : tavern/Shimo-kitazawa, Tokyo, Japan
9 : Japanese restaurant/Shinjuku,Tokyo,
Japan
10 : Japanese dish/Kobe city, Japan

11 : souvenir/Takayama city, Japan
12 : memorial hall/Takayama city,Japan
13 : Japanese restaurant/Takayama
city, Japan
14 : Japanese dish/Kyoto city, Japan
15 : folk craft/Takayama city, Japan

⑯　⑰　⑱

⑲　⑳　㉑

⑱HANAORI

㉑ci-bon

⑱　⑲

㉒

㉓

㉔

㉕

㉖

㉗

㉚ ㉛ ㉜ ㉝

16 : Japanese restaurant / Naha city, Okinawa, Japan
17 : tavern / Matsue city, Japan
18 : souvenir / Kurashiki city, Japan
19 : anteique & fashion boutique / Takayama city, Japan
20 : Japanese restaurant / Asakusa, Tokyo, Japan
21 : 'fucha' (Chinese style) restaurant / Nagasaki city, Japan
22 : video & disk / Sasebo city, Japan
23 : Japanese restaurant / Hiroshima city, Japan
24 : folk claft / Takayama city, Japan
25 : Japanese dish / Kyoto city, Japan
26 : 'yakitori' (roast fowl) / Kobe city, Japan
27 : Japanese confectionery / Seijo-gakuen, Tokyo, Japan
28 : food shop / Machida city, Tokyo, Japan
29 : sukiyaki / Kudan, Tokyo, Japan
30 : Japanese paper / Takayama city, Japan
31 : Japanese dish / Kanda-nishikicho, Tokyo, Japan
32 : Japanese dish / Hiroshima city, Japan
33 : 'miso' (bean past) / Takayama city, Japan

㉞

㉟

㊱

㊲

㊳

㊴

㊵

CHITAKA

㊶

34：フードバー／広島市
35：中国料理レストラン／東京・新宿
36：オフィス（ファッション）／神戸市
37：カフェ／岡山市
38：カフェ／京都市
39：カフェ／韓国・ソウル
40：京料理／京都市
41：とんかつ／福岡市
42：カフェ＆パーラー／神奈川・鎌倉市

34 : bar/Hiroshima city, Japan
35 : Chinese restaurant/Shinjuku, Tokyo, Japan
36 : office(fashion)/Kobe city, Japan
37 : cafe/Okayama city, Japan
38 : cafe/Kyoto city, Japan
39 : cafe/Seoul, Korea
40 : Japanese dish/Kyoto City, Japan
41 : 'tonkatsu'(pork cutlet)/Fukuoka city, Japan
42 : cafe & parlor/Kamakura city, Japan

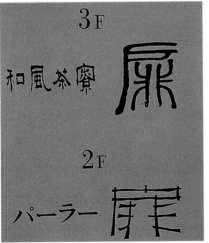

㊷

(43)

(44)

KOBE KITANO
ソネ倶楽部

(45)

宿

(46)

磯飯

(47)

桂馬

(48)

sushiyo

(49)

創業明治10年
永井紙店

(50)

石羽屋

(51)

仁和作

(52)

(53)

膳丸
DINING-BAR

(54)

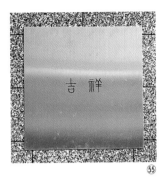

(55)

(56)

(57)

(58)

(59)

(60)

(61)

(62)

木彫
(63)

小布施名産 御栗菓子所
竹風堂
(64)

翁亭
創業明治五年
(65)

縄文漆器
民芸の里
都
(66)

菓心庵
(67)

八井漆器本店
(68)

堂照坊
亀田英書
(69)

(70)

63：木彫/岐阜・高山市
64：和菓子/長野・小布施町
65：すきやき/京都市
66：漆器/長野・松本市
67：和菓子/島根・津和野町
68：漆器/石川・輪島市
69：宿坊/長野市
70：漆器/島根・出雲市
71：てんぷら/東京・上野
72：寿司/岡山市
73：中国料理レストラン&バー/東京・渋谷
74：フードショップ/岡山市
75：串焼/名古屋市
76：日本料理/京都市
77：案内板/富山・八尾町
78：イタリア料理レストラン/東京・渋谷

(71)

(72)

(73)

食料品のフロア 地階

(74)

(75)

(76)

(77)

(78)

63 : wood sculpture/Takayama city, Japan
64 : Japanese confectionery/Obuse-machi, Nagano, Japan
65 : sukiyaki/Kyoto city, Japan
66 : lacquer ware/Matsumoto city, Japan
67 : Japanese confectionery/Tsuwano-machi, Shimane, Japan
68 : lacquer ware/Wajima city, Japan

69 : hospice/Nagano city, Japan
70 : lacquer ware/Izumo city, Japan
71 : tempura/Ueno, Tokyo, Japan
72 : sushi/Okayama city, Japan
73 : chinese restaurant & bar/Shibuya, Tokyo, Japan
74 : food shop/Okayama city, Japan
75 : tavarn/Nagoya city, Japan

76 : Japanese dish/Kyoto city, Japan
77 : direction board/Yatsuo-machi, Toyama, Japan
78 : Italian restaurant/Shinbashi, Tokyo, Japan

⑦

⑧

⑧

⑧

⑧

⑧

⑧

⑧

⑧

79：寿司／岡山市
80：土産品／京都市
81：日本料理／東京・下北沢
82：ギャラリー／岡山・倉敷市
83：カラオケ／大阪市
84：焼鳥／神戸市
85：日本料理／札幌市
86：海鮮料理レストラン／札幌市
87：ギャラリー／東京・乃木坂

88：土産品／岐阜・高山市
89：てんぷら／高松市
90：レストラン／東京・新宿
91：鎌倉彫／神奈川・鎌倉市
92：クッキー／神奈川・鎌倉市
93：カフェ／神奈川・鎌倉市
94：和菓子／名古屋市
95：記念館／岐阜・高山市
96：和菓子／岡山・倉敷市

(88)

(89)

(90)

(91)

(92)

(93)

(94)

(95)

(96)

79 : sushi / Okayama city, Japan
80 : souvenir / Kyoto city, Japan
81 : Japanese dish / Shimo-kitazawa, Tokyo, Japan
82 : gallery / Kurashiki city, Japan
83 : 'karaoke' / Osaka city, Japan
84 : 'yakitori'(roast fowl) / Kobe city, Japan
85 : Japanese restaurant / Sapporo city, Japan

86 : chinese (seafood) restaurant / Sapporo city, Japan
87 : gallery / Nogizaka, Tokyo, Japan
88 : souvenir / Takayama city, Japan
89 : tempura / Takamatsu city, Japan
90 : restaurant / Shinjuku, Tokyo, Japan
91 : wood sculpture / Kamakura city, Japan
92 : cookie / Kamakura city, Japan
93 : cafe / Kamakura city, Japan

94 : Japanese confectionery / Nagoya city, Japan
95 : memorial hall / Takayama city, Japan
96 : Japanese confectionery / Kurashiki city, Japan

hiragana
character

平仮名

①

②

1：和食/埼玉・大宮市
2：カフェ/北海道・函館市
3：和食/広島市
4：てんぷら/長崎市
5：蕎麦/広島市
6：鮨/東京・六本木
7：和菓子/広島・尾道市

③

④

⑤

⑥

⑦

1 : Japanese restaurant/Omiya city, Japan
2 : cafe/Hakodate city, Japan
3 : Japanese restaurant/Hiroshima city, Japan
4 : tempura/Nagasaki city, Japan
5 : 'soba' (buckwheat noodles)/ Hiroshima city, Japan
6 : sushi/Roppongi, Tokyo, Japan
7 : Japanese confectionery/Onomichi city, Japan

⑧

⑨

お食事の店

わ

WA

⑩

割烹 まき

⑪

しゃぶ楽

⑫

花 ふぶき

⑬

飄づく たえ

⑭

snack ちはる

⑮

MINI KAPPO
みなと HONMOKU

活魚

⑯

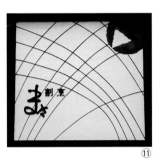

えぷろん亭

APRON TEI

⑰

やっちゃば

⑱

高山で一番 おいしい

手造り

みだ団 だんご

⑲

28：唐辛子／東京・浅草
29：日本料理／名古屋市
30：バー／大阪市
31：きもの／北海道・帯広市
32：ラーメン／北海道・小樽市
33：うなぎ／岐阜・高山市
34：オフィス(出版社)／東京・麹町
35：蒲鉾／神奈川・小田原市

28 : red pepper/Asakusa, Tokyo, Japan
29 : Japanese dish/Nagoya city, Japan
30 : bar/Osaka city, Japan
31 : 'kimono'shop/Obihiro city, Japan
32 : 'ramen'(Chinese noodles)/Otaru city, Japan
33 : eel restaurant/Takayama city, Japan
34 : office(publisher)/Koji-machi, Tokyo, Japan
35 : 'kamaboko' (boiled fish paste)/ Odawara city, Japan

マーク・シンボル

オフィス（不動産）／オーストラリア・マリーナビレッジ
office(real estate)／Marina village, Australia

mark, symbol

store front

ストア フロント

1： カフェレストラン/ドイツ・デュッセルドルフ
2： 劇場/フランス・パリ
3： 化粧品/イタリア・フィレンツェ
4： インテリア＆デコレーション/イタリア・ローマ
5： ファッション ブティック/東京・自由が丘
6： シューズ/フランス・パリ
7： ファッション ブティック/フランス・パリ
8： オフィス/イギリス・ロンドン
9： 香水/イタリア・カプリ
10： バー/北海道・函館市
11： レストラン/アメリカ・ニューヨーク
12： 書店/イタリア・ミラノ
13： オフィス（インテリア）/アメリカ・ロサンゼルス
14： インテリア用品/アメリカ・ニューヨーク
15： 眼鏡＆時計/アメリカ・ロサンゼルス

④　　　⑤

⑧　　　⑨　　　⑩

⑬　　　⑭　　　⑮

1 : cafe restaurant/Düsseldorf, Germany
2 : theatre/Paris, France
3 : cosmetics/Firenze, Italy
4 : interior & decoration/Roma, Italy
5 : fashion boutique/Jiyugaoka, Tokyo, Japan
6 : shoes/Paris, France
7 : fashion boutique/Paris, France

8 : office/London, U.K.
9 : perfume/Capri, Italy
10 : bar/Hakodate city, Japan
11 : restaurant/New York, U.S.A.
12 : book store/Milano, Italy
13 : office(interior)/Los Angeles, U.S.A.
14 : interior ware/New York, U.S.A.
15 : glass & watch/Los Angeles, U.S.A.

⑯　　　　　　　　　　　　⑰

⑳　　　　　　　　　㉑　　　　　　㉒

㉕　　　　　　　㉖　　　　　　㉗

16：ゲームセンター／東京・渋谷
17：ファッション＆インテリア／フランス・パリ
18：ファッション　ブティック／京都市
19：キャラクターグッズ／東京・渋谷
20：ファッション　ブティック／大阪市
21：ショールーム／イタリア・ミラノ
22：ファッション　ブティック／スペイン・マド
　　リッド

23：パキスタン料理レストラン／フランス・
　　パリ
24：ファッション　ブティック／東京・自由が丘
25：メンズ　ブティック／フランス・パリ
26：和食／東京・自由が丘
27：ファッション　ブティック／フランス・パリ
28：百貨店／イギリス・ロンドン

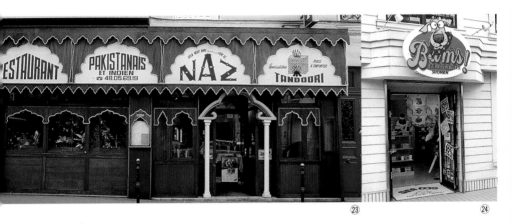

16 : game center/Shibuya, Tokyo, Japan
17 : fashion boutique/Paris, France
18 : fashion boutique/Kyoto city, Japan
19 : characters goods/Shibuya, Tokyo, Japan
20 : fashion boutique/Osaka city, Japan
21 : showroom/Milano, Italy
22 : fashion boutique/Madrid, Spain

23 : Pakistani restaurant/Paris, France
24 : fashion boutique/Jiyugaoka, Tokyo, Japan
25 : men's boutique/Paris, France
26 : Japanese restaurant/Jiyugaoka, Tokyo, Japan
27 : fashion boutique/Paris, France
28 : department store/London, U.K.

*mark
symbol*

マーク・シンボル

①

②

③

④

⑤

⑥

74

⑦

⑧

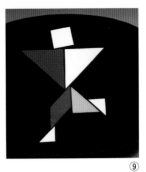

⑨

⑩

⑪

1：ショッピングセンター/アメリカ・ロサンゼルス
2：ファッション ブティック/ドイツ・フランクフルト
3：オフィス/アメリカ・ニューヨーク
4：フラワー/ノルウェイ・オスロ
5：出版社/アメリカ・ラスベガス
6：ホテル/長崎市
7：ファッション ブティック/デンマーク・オーフス
8：ギャラリー/スウェーデン・ストックホルム
9：ファッション ブティック/イタリア・ローマ
10：記念館/北海道・小樽市
11：パブ レストラン/ドイツ・ロマンティック街道

1 : shopping center/ Los Angeles, U.S.A.
2 : fashion boutique/Frankfurt, Germany
3 : office/New York, U.S.A.
4 : flower/Oslo, Norway
5 : publisher/ Las Vegas, U.S.A.
6 : hotel/Nagasaki city, Japan
7 : fashion boutique/Arhus, Denmark
8 : gallery/Stockholm, Sweden
9 : fashion boutique/Roma, Italy
10 : memorial hall/Otaru city, Japan
11 : pub restaurant/Romantische Strasse, Germany

(12)

(13)

(14)

(15)

(16)

(17)

(18)

12：リテイル ショップ/オーストラリア・
　　シドニー
13：ファッション ブティック/スペイン・
　　バルセロナ
14：パブ/北海道・函館市
15：フードショップ/北海道・函館市
16：ファッション ブティック/京都市
17：子供洋品 /韓国・ソウル
18：ファッション ブティック/岡山市
19：ファッション ブティック/アメリカ・
　　ニューヨーク

12 : retail shop/Sydny, Australia
13 : fashion boutique/Barcelona,
     Spain
14 : pub/Hakodate city, Japan
15 : foodshop/Hakodate city, Japan
16 : fashion boutique/Kyoto city,
     Japan
17 : children's wear/Seoul, Korea
18 : fashion boutique/Okayama city,
     Japan
19 : fashion boutique/New York,
     U.S.A.

Tecno

⑳

HELSINGBORGS KONGRESSCENTER

㉑

mistral

㉒

㉓

㉔

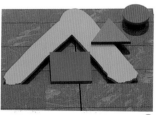

㉕

children's boutique-nu

㉖

20：インテリア/イタリア・ローマ
21：会議場/スウェーデン・ヘルシンボルグ
22：ファッション・ブティック/神奈川・鎌倉市
23：ファッション ブティック/ドイツ・ケルン
24：ホテル/イタリア・カプリ
25：オフィス/東京・神宮前
26：子供洋品/東京・上野
27：銀行/スペイン・マドリッド
28：オフィス/イギリス・ロンドン
29：銀行/スウェーデン・ストックホルム
30：ギャラリー/東京・京橋
31：飲食ビル/広島市
32：ホテル/東京・新宿
33：オフィス/フランス・パリ

20 : interior/Roma, Italy
21 : congress center/Helsingborgs, Sweden
22 : fashion boutique/Kamakura city, Japan
23 : fashion boutique/Köln, Germany
24 : hotel/Capri, Italy
25 : office/Jingu-mae Tokyo, Japan
26 : children's wear/Ueno, Tokyo, Japan
27 : bank/Madrid, Spain
28 : office/London, UK
29 : bank/Stockholm, Sweden
30 : gallery/Kyobashi, Tokyo, Japan
31 : restaurant building/Hiroshima city, Japan
32 : hotel/Shinjuku, Tokyo, Japan
33 : office/Paris, France

(27)

(28)

(29)

(30)

(31)

(32)

(33)

㉞

㉟

㊱

㊲

㊳

㊴

㊵

34：ファッション ブティック/アメリカ・ニューヨーク
35：ファッション ブティック/広島・尾道市
36：カフェテリア/岐阜・高山市
37：ファッション ブティック/スイス・チューリッヒ

38：ビヤ レストラン/広島・呉市
39：商業ビル/北海道・釧路市
40：うどん/岡山市
41：眼鏡/オーストリア・ウィーン
42：ヘルスクラブ/ノルウェイ・オスロ
43：バッグ/横浜市
44：オフィス/イギリス・ロンドン

45：カフェ/スイス・チューリッヒ
46：美容室/スイス・チューリッヒ
47：ファッション ブティック/神戸市
48：美容室/岡山市

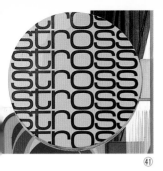

㊶

㊷

㊸

㊹

㊺

㊻

㊼

㊽

34 : fashion boutique/New York, U.S.A.

35 : fashion boutique/Onomichi city, Japan

36 : cafe terrier/Takayama city, Japan

37 : fashion boutique/Zürich, Switzerland

38 : beer restaurant/Kure city, Japan

39 : commercial building/Kushiro city, Japan

40 : noodle shop/Okayama city, Japan

41 : glasses/Wien, Austria

42 : herth club/Oslo, Norway

43 : bag/Yokohama city, Japan

44 : office/London, UK

45 : cafe/Zürich, Switzerland

46 : beauty salon/Zürich, Switzerland

47 : fashion boutique/Kobe city, Japan

48 : beauty salon/Okayama city, Japan

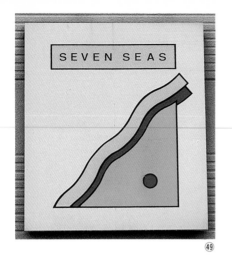

SEVEN SEAS

(49)

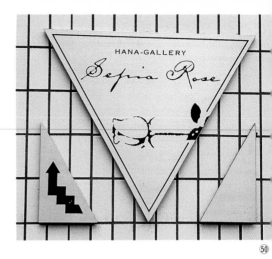

HANA-GALLERY

Sepia Rose

(50)

(51)

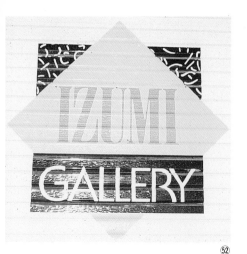

(52)

(53)

(54)

(55)

(56)

49 : 商業施設/福岡市
50 : フラワーショップ/福岡市
51 : ファッション ブティック/フランス・パリ
52 : ギャラリー/熊本市
53 : スポーツウエア/長崎市
54 : クラフトショップ/東京・京橋
55 : ファンシーグッズ/イタリア・ローマ
56 : 韓国風居酒屋/大阪市

49 : commercial building/Fukuoka city, Japan
50 : flower shop/Fukuoka city, Japan
51 : fashion boutique/Paris, France
52 : gallery/Kumamoto city, Japan
53 : sports were/Nagasaki city, Japan
54 : craft shop/Kyobashi, Tokyo, Japan
55 : fancy goods/Roma, Italy
56 : Tavern (Korean style)/Osaka city, Japan

(57)

(58)

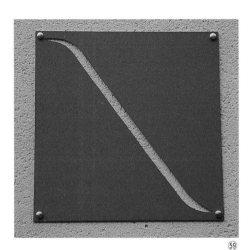

(59)

(60)

(61)

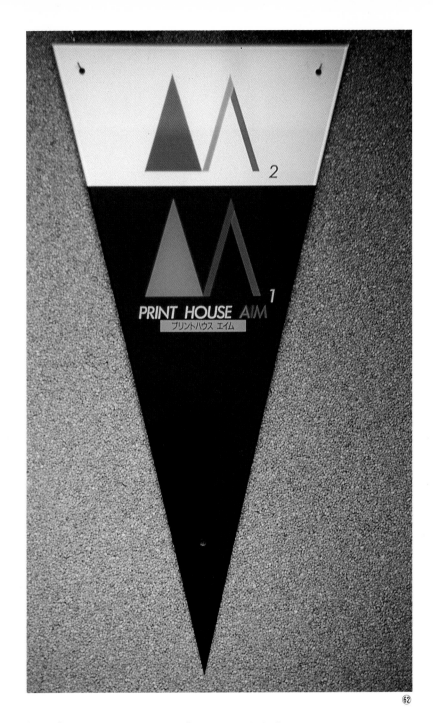

62

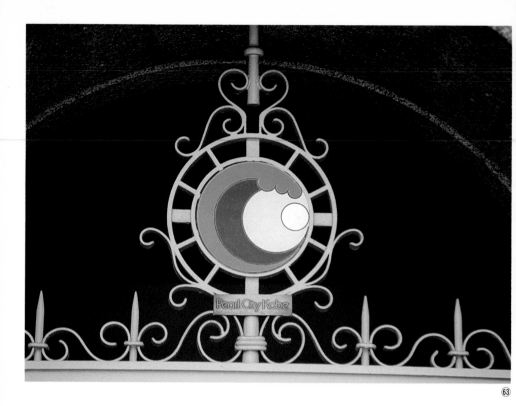

⑯

⑰

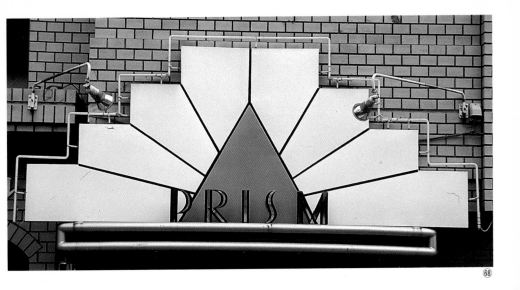

66 : テーマパーク/東京・町田市
67 : 百貨店／東京・町田市
68 : ファッション ブティック/長崎市
69 : スポーツ用品/東京・渋谷
70 : 銀行/岡山市
71 : ファッション ブティック/広島・尾道市
72 : 眼鏡＆ビデオ/ドイツ・デュッセルドルフ

66 : theme park / Machida city, Tokyo,
     Japan
67 : department store / Machida city,
     Tokyo, Japan
68 : fashion boutique / Nagasaki city,
     Japan
69 : sports ware / Shibuya, Tokyo, Japan
70 : bank / Okayama city, Japan
71 : fashion boutique / Onomichi city,
     Japan
72 : glasses & video / Düsseldorf, Germany

73： 銀行／スペイン・バルセロナ
74： サイン／フランス・パリ
75： オフィス（クレジッド）／フランス・パリ
76： レストラン／フランス・パリ
77： 映画館／イギリス・ロンドン
78： オフィス／イギリス・ロンドン
79： レストラン／福岡市

73 : bank／ Barcelona, Spain
74 : sign／ Paris, France
75 : office(credit)／ Paris, France
76 : restaurant／ Paris, France
77 : Picture theater／ London, U.K.
78 : office／ London, U.K.
79 : restaurant／Fukuoka city, Japan

TURCOOP

80：電器／岡山市
81：銀行／オランダ・マーストリヒト
82：生協／イタリア・ローマ
83：リカー／北海道・芦別市
84：ベーカリー／オーストリア・ウイーン
85：カフェ／広島・尾道市
86：オフィス（印刷）／フランス・パリ
87：ファッション ブティック／フランス・パリ
88：ビヤレストラン／広島市
89：スポーツウエア／フランス・パリ
90：カーデーラー／横浜市
91：銀行／ドイツ・アウグスブルグ
92：フード（ヘルス）ショップ／イギリス・
ロンドン
93：ジュエリー／ドイツ・デュッセルドルフ
94：集合住宅／神戸市
95：銀行／オランダ・アムステルダム

96：ホテル／横浜市
97：アートギャラリー／東京・成城学園
98：バイクショップ／東京・上野
99：ファッション ブティック／静岡・浜松市
100：商業施設／神奈川・川崎市

80：electrical appliances／Okayama
city, Japan
81：bank／Maastricht, Netherlands
82：co-op store／Roma, Italy
83：liquor／Ashibetsu city, Japan
84：bakery／Wien, Austria
85：cafe／Onomichi city, Japan
86：office(printer)／Paris, France
87：fashion boutique／Paris, France
88：beer restaurant／Hiroshima city,
Japan

89：sports wear／Paris, France
90：car dealer／Yokohama city, Japan
91：bank／Augusburg, Germany
92：food(health)shop／London, U.K.
93：jewelry／D sseldorf, Germany
94：apartment house／Kobe city, Japan
95：bank／Amsterdam, Netherlands
96：hotel／Yokohama city, Japan
97：art gallery／Seijo-gakuen, Tokyo,
Japan
98：bike shop／Ueno, Tokyo, Japan
99：fashion boutique／Hamamatsu city,
Japan
100：commercial building／Kawasaki
city, Japan

(101)

(102)

(103)

(104)

(105)

(106)

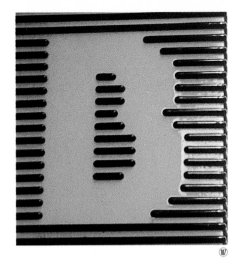

(107)

(108)

DIVA INTERNATIONAL

(109)

BISIONE

(110)

101 : メンズ ブティック/フランス・パリ
102 : シューズ/イタリア・ローマ
103 : 商業施設/大阪市
104 : ギャラリー/ドイツ・リューベック
105 : 動物ぬいぐるみ/広島市
106 : 中古車デーラー/千葉・富里町
107 : 銀行/フランス・パリ
108 : 百貨店/アメリカ・ニューヨーク
109 : ファッション ブティック/名古屋市
110 : ファッション ブティック/横浜市

101 : men's boutique/Paris, France
102 : shoes/Roma, Italy
103 : commercial building/Osaka city, Japan
104 : gallery/Lübeck, Germany
105 : animal doll boutique/Hiroshima city, Japan
106 : used car dealer/Tomisato-machi, Chiba, Japan
107 : bank/Paris, France
108 : department store/New York, U.S.A.
109 : fashion boutique/Paris, France
110 : fashion boutique/Yokohama city, Japan

(111)

(112)

(113)

APOTEK

(114)

STATION

FREE SPACE

(115)

111：レストラン／アメリカ・シカゴ
112：銀行／ベルギー・リェージェ
113：オフィス（出版社）／スペイン・マドリッド
114：サイン／スウェーデン・ストックホルム
115：ギャラリー／岡山市
116：銀行／スイス・チューリッヒ
117：ショッピングセンター／ドイツ・ブレーメン
118：オフィス／東京・初台
119：バー／広島・尾道市
120：ファッション ブティック／福岡・北九州市小倉

111 : restaurant/ Chicago, U.S.A.
112 : bank/Liège Belgium
113 : office(publisher)/ Madrid Spain
114 : sign/Stockholm, Sweden
115 : gallery/Okayama city, Japan
116 : bank/Zürich, Switzerland
117 : shopping center/Bremen, Germany
118 : office/Hatsudai, Tokyo, Japan
119 : bar/Onomichi city, Japan
120 : fashion boutique/Kokura, Kita-kyushu city, Japan

(121)

Bakery Restaurant
monpain

(122)

Alice Malian

(123)

(124)

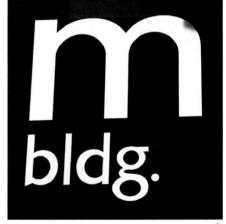

bldg.

(125)

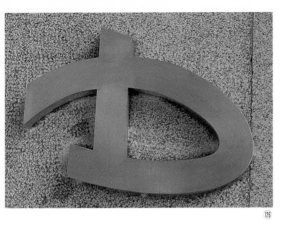

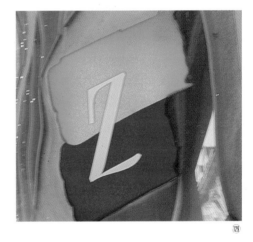

121：ファッション/韓国・ソウル
122：ベーカリー＆レストラン/東京・渋谷
123：子供洋品/神奈川・小田原市
124：ファッション ブティック/イタリア・ローマ
125：ビルディング/神奈川・鎌倉市
126：オフィス/スペイン・マドリッド
127：オフィス（コピーサービス）/フランス・パリ
128：商業施設/福岡市
129：ファッション ブティック/スイス・チューリッヒ
130：仮囲い/スイス・ジュネーブ

121 : fashion boutique/Seoul, Korea
122 : bakery &restaurant/Shibuya, Tokyo, Japan
123 : children's wear/Odawara city, Japan
124 : fashion boutique/Roma, Italy
125 : building/Kamakura city, Japan
126 : office/Madrid, Spain
127 : office(copy service)/Paris, France
128 : commercial building/Fukuoka city, Japan
129 : fashion boutique/Zürich, Switzerland
130 : temporary enclosure/Genève, Switzerland

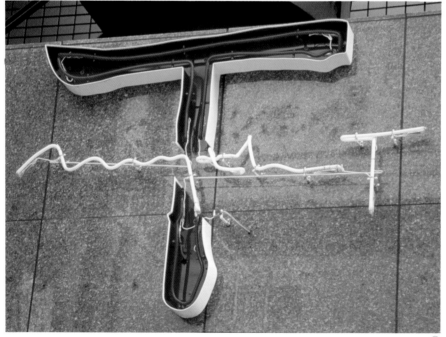

NARVESE

(133)

INSCRIPTION
RYKIEL

(134)

Dial 712/1687(代)

3F

(135)

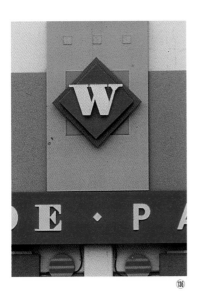

E · PA

(136)

131：商業施設/静岡・浜松市
132：カフェバー/大阪市
133：キオスク/ノルウェイ・オスロ
134：ファッション ブティック/広島市
135：オフィス/福岡市
136：ショッピングセンター/アメリカ・ロサンゼルス

131 : commercial building/Hamamatsu city, Japan
132 : cafe bar/Osaka city, Japan
133 : kiosk/Oslo, Norway
134 : fashion boutique/Hiroshima city, Japan
135 : office/Fukuoka city, Japan
136 : shopping center/Los Angeles, U.S.A.

(137)

(138)

(139)

(140)

(141)

(142)

(143)

(144) (145) (146)

(147)

(148)

(149)

(150)

(151)

(152)

(153)

(155)

(156)

(157)

(154)

(158)

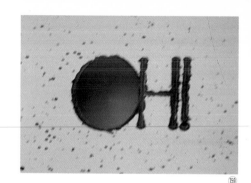

(159)

(160)

(161)

(162)

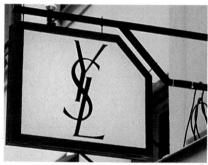

(163)

168

169

170

171

172

173

(174)

(175)

(176)

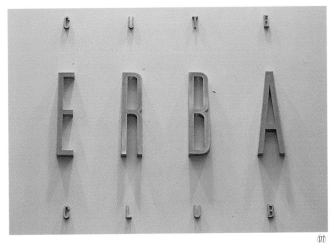

(177)

(178)

168：ファッション ブティック/スイス・ルツェルン
169：子供洋品/神奈川・小田原市
170：ゲームセンター/岡山市
171：旅行代理店/スペイン・マドリッド
172：ファッション ブティック/静岡・浜松市
173：銀行/アメリカ・ニューヨーク
174：オフィス（クレジット）/フランス・パリ
175：ジュエリー/オランダ・マーストリヒト
176：レストラン/東京・銀座
177：ファッション ブティック/大阪市
178：ギャラリー/北海道・小樽市

168 : fashion boutique/Luzern, Switzerland
169 : children's wear/Odawara city, Japan
170 : game center/Okayama city, Japan
171 : travel agent/Madrid, Spain
172 : fashion boutique/Hamamatsu city, Japan
173 : bank/New York, U.S.A.
174 : office(credit)/ Paris, France
175 : jewelry/Maastricht, Netherlands
176 : restaurant/Ginza, Tokyo, Japan
177 : fashion boutique/Osaka city, Japan
178 : gallery/Otaru city, Japan

(179)

(180)

(181)

(182)

(183)

(184)

(185)

(186)

(187)

(188)

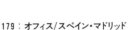
(189)

(190)

179：オフィス／スペイン・マドリッド
180：ピザレストラン／イタリア・ミラノ
181：眼鏡／ドイツ・マインツ
182：商業ビル／横浜市
183：サイン／フランス・パリ
184：串料理＆カフェ／東京・原宿
185：トラベラーズクラブ／東京・青山
186：シューズ／スウェーデン・ストックホルム
187：スポーツ用品／スペイン・バルセロナ
188：ビヤレストラン／大阪市
189：ファッション ブティック／フランス・パリ
190：オフィス／イギリス・ロンドン
191：ファッション ブティック／イギリス・ロンドン
192：バイクショップ／東京・上野
193：レストラン／千葉・習志野市
194：ファッション ブティック／石川・金沢市

179 : office/Madrid, Spain
180 : pizza restaurant/Milano, Italy
181 : glasses/Mainz, Germany
182 : commercial building/Yokohama city, Japan
183 : sign/Paris, France
184 : bar & cafe/Harajuku, Tokyo, Japan
185 : travellers club/Aoyama, Tokyo, Japan
186 : shoes/Stockholm, Sweden
187 : sports ware/Barcelona, Spain
188 : beer restaurant/Osaka city, Japan
189 : fashion boutique/Paris, France
190 : office/London, U.K.
191 : fashion boutique/London, U.K.
192 : bike shop/Ueno, Tokyo, Japan
193 : restaurant/Narashino city, Chiba, Japan
194 : fashion boutique/Kanazawa city, Japan

(191)

(192)

(193)

(194)

HOTEL KREUZ & POST

NIXE

(201)

(202)

CAFE RESTAURANT

SINCE 1990

(203)

RASIERER SHOP

(204)

KINGSGARD VOLLREINIGUNG

STUNDEN-SERVICE

(205)

201：カフェバー/北海道・函館市
202：レストラン/岡山・牛窓町
203：カフェレストラン/北海道・函館市
204：サイン/オーストリア・ウイーン
205：サイン/ドイツ・マインツ
206：メンズ ブティック/ドイツ・フランクフルト
207：バー/広島・尾道市
208：カフェバー/スイス・チューリッヒ
209：カフェ/横浜市

201 : cafe bar/Hakodate city, Japan
202 : restaurant/ushimado-machi,
　　　Okayama, Japan
203 : cafe restaurant/Hakodate city, Japan
204 : sign/Wien, Austria
205 : sign/Mainz, Germany
206 : men's boutique/Frankfrut, Germany
207 : bar/Onomichi city, Japan
208 : cafe bar/Zürich, Switzerland
209 : cafe/Yokohama city, Japan

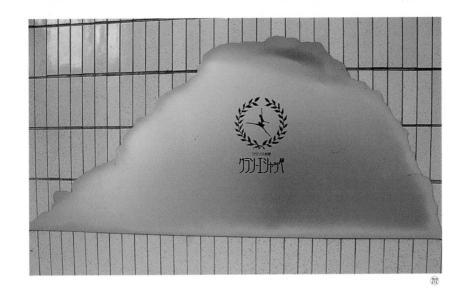

(212)

(213)

(214)

(215)

225：ファッション ブティック/大阪市
226：毛皮/東京・新宿
227：香水/フランス・パリ
228：ファッション ブティック/東京・自由が丘
229：コンビニエンスストア/東京・町田市
230：子供洋品/岡山・倉敷市
231：韓国料理レストラン/広島・福山市
232：バイクショップ/東京・上野

225 : fashion boutique/Osaka city, Japan
226 : furrier/Shinjuku, Tokyo, Japan
227 : perfume/Paris, France
228 : fashion boutique/Jiyugaoka,
    Tokyo, Japan
229 : convenience store/Machida city,
    Tokyo, Japan
230 : children's wear/Kurashiki city, Japan

231 : Korean restaurant/Fukuyama city,
    Japan
232 : bike shop/Ueno, Tokyo, Japan

(234)

(235)

(236)

(237)

(238)

(239)

233：美容室／オーストリア・リンツ
234：スポーツ用品／広島市
235：ファッション ブティック／大阪市
236：クラフトショップ／神戸市
237：スポーツ用品／ドイツ・マインツ
238：ランジェリー／神戸市
239：銀行／スウェーデン・ヘルシンボルグ

233 : beauty salon/ Lintz, Ausuria
234 : sports ware/Hiroshima city, Japan
235 : fashion boutique/Osaka city, Japan
236 : craft shop/Kobe city, Japan
237 : sports ware/Mainz, Germany
238 : lingerie/Kobe city, Japan
239 : bank/ Hälsingborg, Sweden

245

Salon LANVIN
Caviar Bar 1988

246

BUAISO

247

248

249

248：スーベニール/アメリカ・ハワイ ラハイナ
249：中国料理レストラン/高松市
250：ファッション ブティック/韓国・ソウル
251：ファッション ブティック/広島・尾道市
252：オフィス/スイス・ベルン
253：ファッション ブティック/イタリア・ローマ

248：souvenir/Lahaina, Hawaii, U.S.A.
249：Chinise restaurant/Takamatsu city, Japan
250：fashion boutique/Seoul, Korea
251：fashion boutique/Onomichi city, Japan
252：office/Bern, Switzerland
253：fashion boutique/Roma, Italy

㉕⓪

㉕①

㉕②

㉕③

254

255

256

257

258

259

260

261

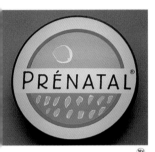

270

271

272

LAURENZER eck

270：オフィス/神戸市　　　　　　　270 : office/ Kobe city, Japan
271：バイクショップ/東京・上野　　271 : bike shop/ Ueno, Tokyo, Japan
272：アイスクリーム/アメリカ・ハワイ ホノルル　272 : ice cream/Honolulu, Hawaii, U.S.A.
273：蠟燭/オーストリア・ウイーン　273 : candle shop/ Wien, Austria

(274)

(275)

(276)

(277)

(278)

(279)

(280)

(281)

(282)

⑦

⑧

⑨

⑩

⑪

⑫

135

⑬

⑭

⑮

⑯

⑰

⑱

⑲

CASINO
BAR

CATS

⑳

LIBERTY

㉑

tout Chaud

㉒

GABRIEL

㉓

Red Pepper

MOTOMACHI

㉔

㉕

㉖

㉗

25：スポーツ用品/東京・神田神保町
26：スーベニール＆ギフト/アメリカ・ハリウッド
27：フラワーショップ/福岡市
28：スポーツ用品/東京・渋谷
29：商業ビル/岡山市
30：アートギャラリー/アメリカ・ロサンゼルス

(28)

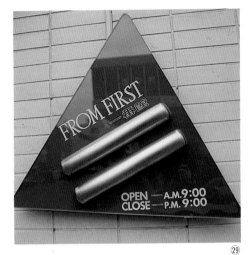

(29)

(30)

25 : sports ware/Kanda-jinbocho, Tokyo,
    Japan
26 : souvenir & gift shop/Hollywood,
    U.S.A.
27 : flower shop/Fukuoka city, Japan
28 : sports ware/Shibuya, Tokyo, Japan

29 : commercial building/Okayama city,
    Japan
30 : art gallery/Los Angeles, U.S.A.

(31)

(32)

(33)

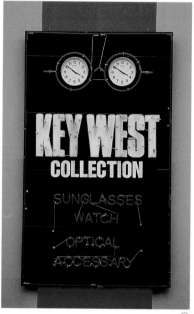

(34)

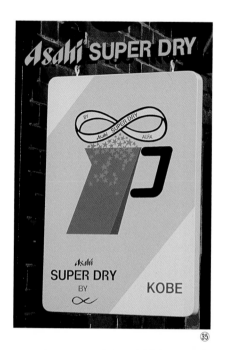

(35)

(36)

(37)

(38)

(39)

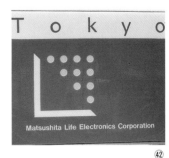

(40)

(41)

(42)

31 : ファッション ブティック/フランス・パリ

32 : オフィス/東京・神宮前

33 : リカーショップ/大阪市

34 : 眼鏡＆アクセサリー/東京・上野

35 : ビヤレストラン/神戸市

36 : テクスメックス レストラン/アメリカ・
サンタモニカ

37 : カフェ レストラン/東京・四谷

38 : オフィス（証券）/スイス・チューリッヒ

39 : ファッション ブティック/イタリア・ローマ

40 : オフィス（デザイン）/アメリカ・サン
フランシスコ

41 : 香水/ドイツ・クロンベルグ

42 : 電器/東京・渋谷

31 : fashion boutique/ Paris, France

32 : office/ Jinngu-mae, Tokyo, Japan

33 : liquor shop/ Osaka city, Japan

*34 : glasses & accessories/ Ueno, Tokyo,
Japan*

35 : beer restaurant/ Kobe city, Japan

*36 : Tex Mex restaurant/ Santa Monica,
U.S.A.*

37 : cafe restaurant/ Yotsuya, Tokyo, Japan

38 : office (stock)/ Zürich, Switzerland

39 : fashion boutique/ Roma, Italy

40 : office/ San Francisco, U.S.A.

41 : perfume/ Kronberg, Germany

*42 : electrical appliance/ Shibuya, Tokyo,
Japan*

ITALIANO MARZO PIZZERIA

㊸

Benetton Formula 1 RACING TEAM

㊹

Something For Every Body
Java group

㊺

OGAWA
イ・ン・テ・リ・ア

㊻

HAIR MAKE
LA COOP

㊼

ORGA
オルガ

㊽

CAFE
Cotton tail
since 1987

㊾

"K" LINE

㊿

Beer & Crab

⑤

FUJIYA HOTEL

PICOT

⑤

Daiwa

⑤

May Star

⑤

55

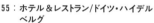

(65)

(66)

⑦⑥

⑦⑦

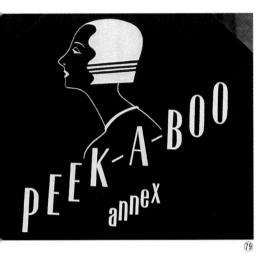

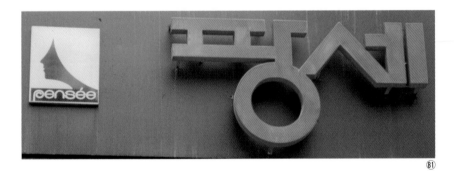

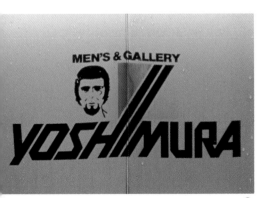

76：衣料品/広島・呉市
77：オフィス/フランス・パリ
78：ファッション ブティック/フランス・パリ
79：美容室/東京・青山
80：オフィス/アメリカ・ニューヨーク
81：ファッション ブティック/韓国・ソウル
82：メンズ ブティック/大阪市

76 : clothing store/Kure city, Japan
77 : office/Paris, France
78 : fashion boutique/Paris, France
79 : beauty salon/Aoyama, Tokyo, Japan
80 : office/New York, U.S.A.
81 : fashion boutique/Seoul, Korea
82 : men's boutique/Osaka city, Japan

83

84

85

86

83：ファッション ブティック／岡山市
84：ジュエリー／広島市
85：レストラン／ノルウェイ・オスロ
86：メンズ ブティック／フランス・パリ
87：オフィス／ドイツ・フランクフルト
88：バー＆レストラン／東京・渋谷
89：商業施設／神奈川・川崎市
90：カフェ／東京・日本橋
91：カラオケ／広島市

83 : fashion boutique／Okayama city, Japan
84 : jewelry／Hiroshima city, Japan
85 : restaurant／Oslo, Norway
86 : men's boutique／Paris, France
87 : office／Frankfurt, Germany
88 : bar & restaurant／Shibuya, Tokyo, Japan
89 : commercial building／Kawasaki city, Japan
90 : cafe／Nihonbashi, Tokyo, Japan
91 : 'karaoke'／Hiroshima city, Japan

(92)

(93)

Alice

SINCE 1990

(94)

Ace Queen

CASINO . CLUB

(95)

Naish Curry American

KURASHIKI SINCE1990

(96)

WI TH

SPRING COLLECTION

(97)

SUN LOUNGE

日焼サロン

(98)

POLO CLUB

SPICE
D

PRODUSE BY ADVANCE

(99)

miss *karaoke*

half note

(100)

(101)

(102)

(103)

(104)

101：中国料理レストラン／横浜市
102：フードショップ／神戸市
103：フォトラボ／アメリカ・ハワイ　ホノルル
104：レストラン（パスタ）／東京・渋谷
105：アイスクルーム／東京・初台
106：子供洋品／岡山市
107：ライブハウス／東京・渋谷
108：ワイン＆古着／東京・青山

101 : chinese restaurant/Yokohama city, Japan
102 : food shop/Kobe city, Japan
103 : photo labo/Honolulu, Hawaii, U.S.A.
104 : restaurant(pasta)/Shibuya, Tokyo, Japan
105 : ice cream/Hatsudai, Tokyo, Japan
106 : children's wear/Okayama city, Japan
107 : live hall/Shibuya, Tokyo, Japan
108 : vintage & used wear/Aoyama, Tokyo, Japan

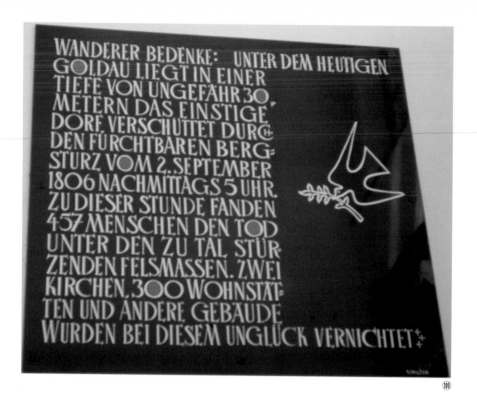

WANDERER BEDENKE: UNTER DEM HEUTIGEN
GOLDAU LIEGT IN EINER
TIEFE VON UNGEFÄHR 30.
METERN DAS EINSTIGE
DORF VERSCHÜTTET DURCH
DEN FÜRCHTBAREN BERG=
STURZ VOM 2. SEPTEMBER
1806 NACHMITTAGS 5 UHR.
ZU DIESER STUNDE FANDEN
457 MENSCHEN DEN TOD
UNTER DEN ZU TAL STÜR=
ZENDEN FELSMASSEN. ZWEI
KIRCHEN, 300 WOHNSTÄT=
TEN UND ANDERE GEBÄUDE
WURDEN BEI DIESEM UNGLÜCK VERNICHTET

(109)

(110)

(111)

(112)

Marine Wave Otaru

⑬

Angeln

⑭

Kisling
SUSHI-BAR

Kisling

⑮

galerie tamenaga

⑯

CITY KOBE
IJINKAN UROKO-NO-IE
INFORMATION

⑰

STYLIST'S EXPRESS
FISH-BONE
COMPANY

⑱

(119)

(120)

119：レストラン/沖縄・恩納村
120：ドラッグストア/ドイツ・デュッセルドルフ
121：イタリア料理レストラン/アメリカ・
　　　ニューヨーク
122：ワインショップ/オーストラリア・マリーナ
　　　ビレッジ

123：ファッション　ブティック/アメリカ・
　　　ハワイ　ラハイナ
124：ファッション　ブティック/アメリカ・
　　　ハワイ　ラハイナ
125：眼鏡/京都市
126：ファッション　ブティック/東京・神田
　　　駿河台

127：イタリア料理レストラン/イタリア・ミラノ
128：ペンション/長野・原村

(121)

(122)

(123)

(124)

(125)

(126)

(127)

(128)

19 : restaurant/onna-son, Okinawa, Japan
20 : drugstore/ Düsseldorf, Germany
21 : Italian restaurant/New York, U.S.A.
22 : wine shop/Marina Village, Australia
23 : fashion boutique/Lahaina, Hawaii, U.S.A.

124 : fashion boutique/Lahaina, hawaii, U.S.A.
125 : glasses/Kyoto city, Japan
126 : fashion boutique/Kanda-surugadai, Tokyo, Japan
127 : Italian restaurant/Milano, Italy
128 : pention/Hara-mura, Nagano, Japan

(129)

(130)

(131)

(132)

(133)

(134)

129：ホテル/ドイツ・フランクフルト
130：クラブ/ドイツ・デュッセルドルフ
131：オフィス（電話局）/広島・福山市
132：ファッション ブティック/広島市
133：レストラン/イギリス・ロンドン
134：ファッション ブティック/アメリカ・
　　　ハワイ ラハイナ
135：玩具＆ファンシーグッズ/神戸市

136：フラワーショップ/アメリカ・ニューヨーク
137：シャレー/スイス・グリンデルワルト
138：クラブ/東京・六本木
139：ファッション ブティック/フランス・パリ
140：ビヤレストラン/ドイツ・フランクフルト

TOYS & FANCY GOODS
kameya

⑬⑤

DI ES LE
BOUQUETS

⑬⑥

CHALET
CAROLINE

⑬⑦

⑬⑧

la pomme de tell

⑬⑨

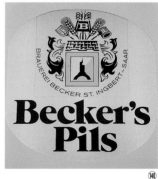

Becker's
Pils

⑭⓪

crest

紋章

FERNMELDEAMT 3
ORTSVER-
MITTLUNGSSTELLE

Amtliche
Unterkunft
für
Bahnpostbegleiter
Gutleutstraße
34-36

①

KGL. NORSK KONSULAT

②

③

④

CONSULAAT DER NEDERLANDEN

JE MAINTIENDRAI

⑤

SERVE · WE · WELL

CHELSEA
BUILDING SOCIETY

⑥

⑦

162

⑧

BY APPOINTMENT TO
H M QUEEN ELIZABETH THE QUEEN MOTHER
JEWELLERS & SILVERSMITHS
GARRARD & CO LTD
LONDON

⑨

⑩

⑬

1：オフィス/ドイツ・フランクフルト
2：オフィス/横浜市
3：商業ビル/横浜市
4：マーケット/ドイツ・リューベック
5：オフィス/横浜市
6：オフィス/イギリス・ロンドン
7：イタリア料理レストラン/ドイツ・クロン
　　ベルグ
8：レストラン/東京・広尾
9：ジュエリー＆銀細工/イギリス・ロンド
　　ン
10：オフィス/オランダ・マーストリヒト
11：アンティーク/アメリカ・ロサンゼルス
12：オフィス/スイス・ベルン
13：メンズ ブティック/横浜市
14：レストラン/ドイツ・コブレンツ
15：レストラン/神戸市

1 : office/Frankfurt, Germany
2 : office/Yokohama city, Japan
3 : commercial building/Yokohama
　　city, Japan
4 : market/Lübeck, Germany
5 : office/Yokohama city, Japan
6 : office/London, UK
7 : Italian restaurant/Kronberg, Garmany
8 : restaurant/Hiroo, Tokyo, Japan
9 : jewellers & silversmiths/London, UK
10 : office/Maastricht, Nethrlands
11 : antique/Los Angeles, U.S.A.
12 : office/Bern, Switzerland
13 : men's boutique/Yokohama city,
　　Japan
14 : restaurant/Koblenz, Germany
15 : restaurant/Kobe city, Japan

⑪

⑭

⑫

⑮

⑲

⑳

㉑

㉒

㉓

㉔

16：レストラン／ドイツ・ロマンティック街道
17：レストラン＆パブ／イギリス・ロンドン
18：ギャラリー／イギリス・ロンドン
19：レストラン／横浜市
20：商業施設／長崎市
21：オフィス／福岡・北九州市　小倉
22：メンズ　ブティック／北海道・小樽市
23：ジーンズ＆カジュアルファッション／
　　東京・下北沢
24：紋章／デンマーク・コペンハーゲン
25：紋章／オランダ・ホールン

16 : restaurant/ Romantische strasse,
Germany
17 : restaurant & pub/ London, U.K.
18 : gallery/ London, U.K.
19 : restaurant/ Yokohama city, Japan
20 : commercial building/ Nagasaki city,
Japan
21 : office/ Moji Kita-kyushu city, Japan
22 : men's boutique/ Otaru city, Japan
23 : jeans & casual fashion/ Shimo-
kitazawa, Tokyo, Japan
24 : crest/ Copenhagen, Denmark
25 : crest/ Hoorn, Netherlands

㉕

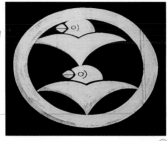

①

②

③

④

⑤

⑥

⑦　　　　　　　　　　　⑧　　　　　　　　　　　⑨

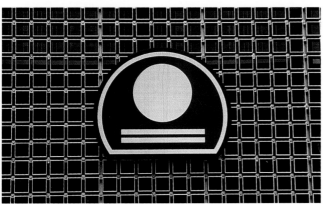

⑩

⑪

⑫　　　　　　　　　　　⑬

1：焼鳥/広島市
2：日本料理/大阪市
3：きもの/長崎市
4：染物/広島市
5：染物/広島市
6：染物/広島市
7：アンティーク/京都市
8：旅館/京都市
9：焼鳥/大阪市
10：和食/岡山市
11：和菓子/熊本市
12：和菓子/島根・津和野町
13：魚料理/広島・尾道市

1 : 'yakitori'(roast fowl)/Hiroshima
　　city, Japan
2 : Japanese desh/Osaka city, Japan
3 : 'Kimono' shop/Nagasaki city, Japan
4 : dyehouse/Hiroshima city, Japan
5 : dyehouse/Hiroshima city, Japan
6 : dyehouse/Hiroshima city, Japan
7 : antique/Kyoto city, Japan
8 : Japanese inn/Kyoto city, Japan
9 : 'yakitori'(roast fowl)/Osaka city,
　　Japan
10 : Japanese restaurant/Okayama city,
　　Japan
11 : Japanese confectionery/Kumamoto
　　city, Japan
12 : Japanese confectionery/Tsuwano-
　　machi, Shimane, Japan
13 : fish dish/Onomichi city, Japan

⑭

⑮

和食処

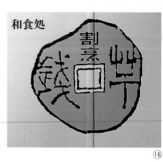

⑯

⑰

⑱

⑲

⑳

168

㉑

会員制倶楽部

㉒

ひだふうみ

㉓

㉕

14：日本料理/宮崎市
15：きもの/北海道・釧路市
16：日本料理/石川・金沢市
17：香/京都市
18：陶器/佐賀・伊万里市
19：漬物/岐阜・高山市
20：漆塗/岐阜・高山市
21：テーブルグッズ/広島市
22：会員制倶楽部/名古屋市
23：味噌/岐阜・高山市
24：料亭/京都市
25：中国料理レストラン/横浜市

14 : Japanese dish/Miyazaki city,
   Japan
15 : 'kimono' shop/Kyoto city, Japan
16 : Japanese dish/Kanazawa city,
   Japan
17 : incense/Kyoto city, Japan
18 : ceramics/Imari city, Japan
19 : pickles/Takayama city, Japan
20 : lacquered goods/Takayama city,
   Japan
21 : table ware/Hiroshima city, Japan
22 : member's club/Nagoya city,
   Japan
23 : 'miso'(bean paste)/Takayama
   city, Japan
24 : Japanese restaurant/Kyoto city,
   Japan
25 : Chinese restaurant/Yokohama
   city, Japan

㉔

㉖

㉗

㉘

㉙

㉚

㉛

㉜

㉝

㉞

㉟

㊱

㊲

(38)

26：日本料理／名古屋市
27：中国料理レストラン／神奈川・鎌倉市
28：てんぷら／東京・赤坂
29：蕎麦／岩手・盛岡市
30：居酒屋／島根・出雲市
31：和食／神奈川・平塚市
32：陶器／広島・呉市
33：和菓子／長野・小布施町
34：ペンション／北海道・函館市
35：ビヤレストラン／広島市
36：和食／兵庫・姫路市
37：蕎麦／輪島市
38：和菓子／福岡市
39：料亭／福岡市
40：寿司／北海道・小樽市
41：日本料理／ドイツ・デュッセルドルフ

26 : Japanese restaurant/Nagoya city, Japan
27 : Chinise restaurant/Kamakura city, Japan
28 : tempura/Asahikawa city, Japan
29 : 'soba'(buckwheat noodles)/Morioka city, Japan
30 : tavern/Izumo city, Japan
31 : Japanese restaurant/Hiratsuka city, Japan
32 : ceramics/Kure city, Japan
33 : Japanese confectionery/Obuse-machi, Nagano, Japan
34 : penshion/Hakodate city, Japan
35 : beer restaurant/Hiroshima city, Japan
36 : Japanese restaurant/Himeji city, Japan
37 : 'soba'(buckwheat noodles)/Wajima city, Japan
38 : Japanese confectionery/Fukagawa, Tokyo, Japan
39 : Japanese dish/Fukuoka city, Japan
40 : sushi/Otaru city, Japan
41 : Japanese restaurant/Düsseldorf, Germany

(39)

(40)

(41)

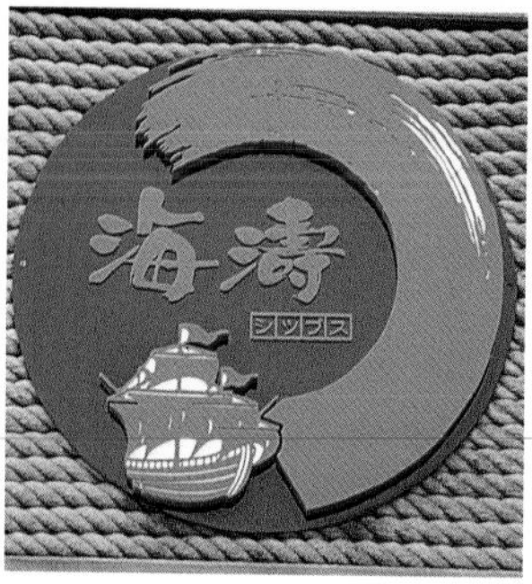

㊷

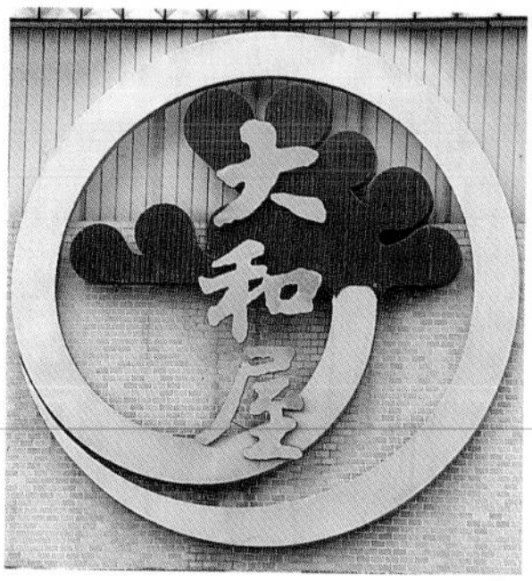

㊸

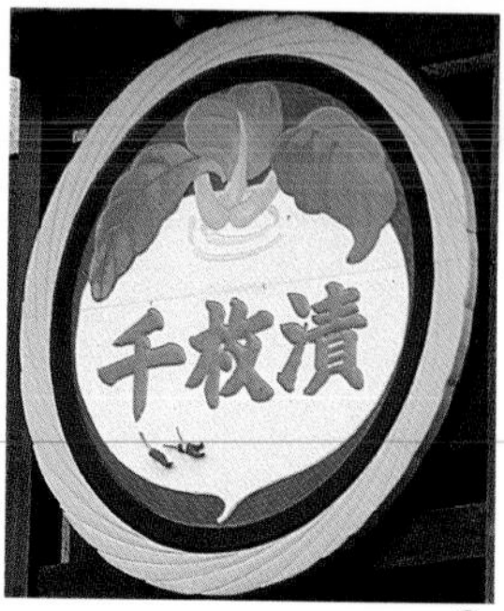

㊹

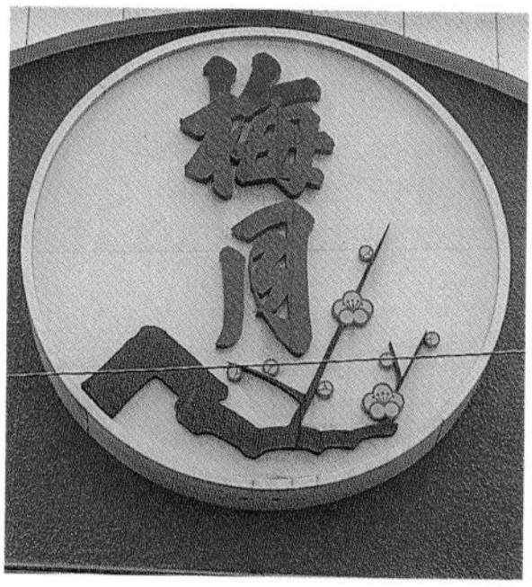

㊺

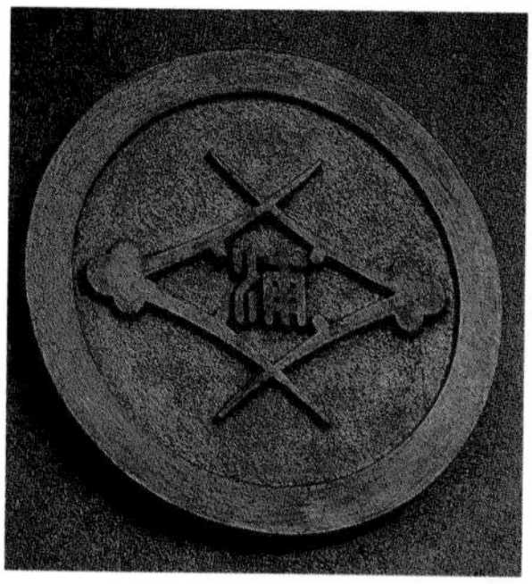
㊻

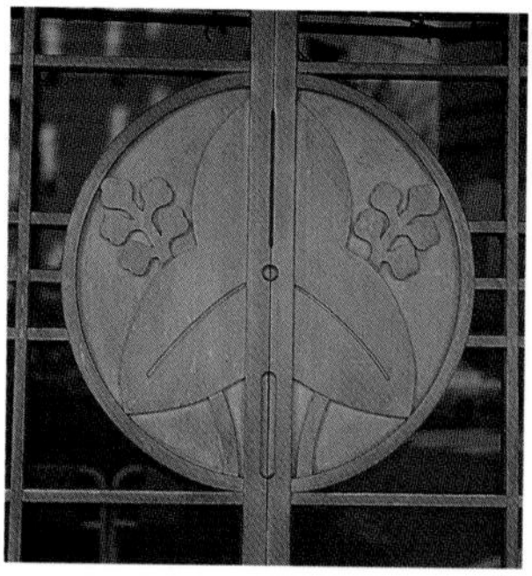
㊼

㊽

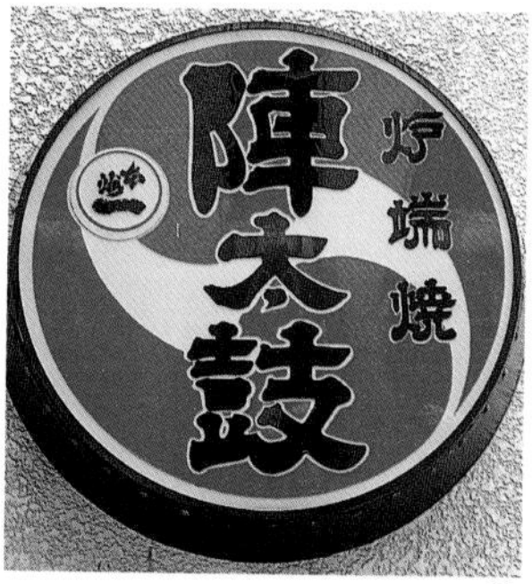

㊾

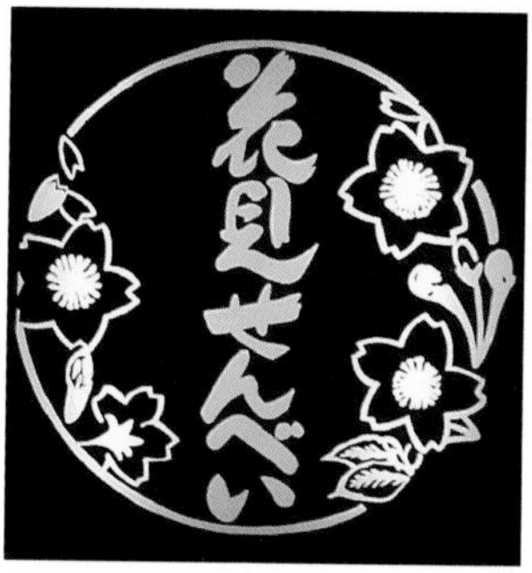

㊿

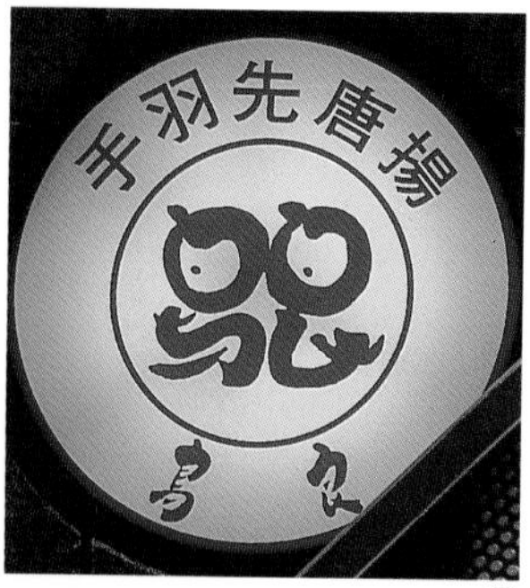

(51)

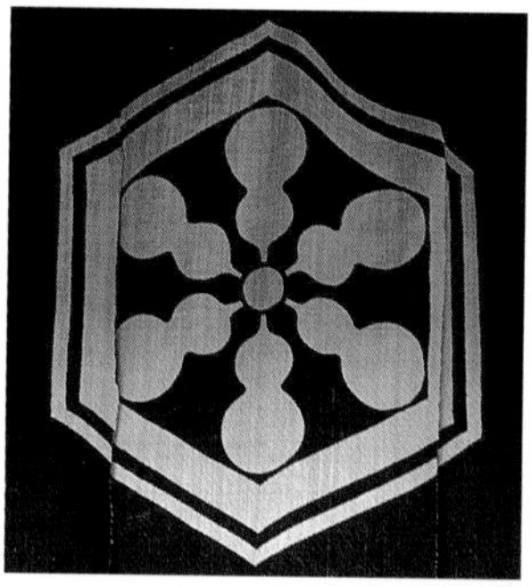
(52)

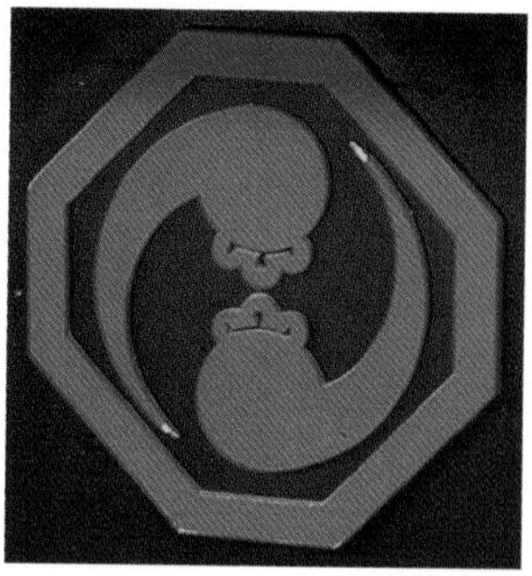
(53)

42：ステーキ＆グリル／福岡市
43：漬物／名古屋市
44：漬物／京都市
45：中国料理レストラン／北海道・
　　小樽市
46：和菓子／北海道・釧路市
47：和菓子／名古屋市
48：和菓子／京都市
49：炉端焼／広島市
50：和菓子／東京・経堂
51：鳥料理／東京・原宿
52：山菜料理／岐阜・高山市
53：土産品／香川・琴平町
54：蒲鉾／北海道・小樽市
55：和菓子／東京・墨田

42 : steak & grill／Fukuoka city, Japan
43 : pickle store／Nagoya city, Japan
44 : pickle store／Kyoto city, Japan
45 : Chinese restaurant／Otaru city, Japan
46 : Japanese confectionery／Kushiro city,
　　 Japan
47 : Japanese confectionery／Nagoya city,
　　 Japan
48 : Japanese confectionery／Kyoto city,
　　 Japan
49 : tavern／Hiroshima city, Japan
50 : Japanese confectionery／Kyoto city,
　　 Japan
51 : 'yakitori'(roast fowl)／Harajuku, Tokyo,
　　 Japan
52 : Japanese restaurant／Takayama city,
　　 Japan
53 : souvenir／Kotohira-machi, Kagawa,
　　 Japan
54 : 'kamaboko'(boiled fish paste)／
　　 Otaru city, Japan
55 : Japanese confectionery／Sumida,
　　 Tokyo, Japan

⑤⑥

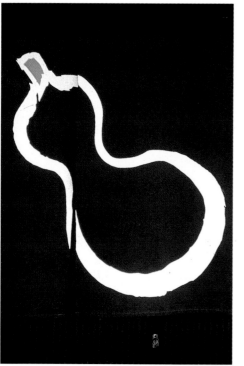

⑤⑧

⑤⑦

⑤⑨

(60)

(61)

(62)

(63)

56：魚料理/広島市
57：和菓子/岐阜・高山市
58：民芸品/岐阜・高山市
59：和菓子/長野市
60：居酒屋/広島市
61：串料理/広島市
62：居酒屋/福岡市
63：漆器/青森・弘前市

56 : Japanese restaurant(sea food)/Hiroshima city, Japan
57 : Japanese confectionery/Takayama city, Japan
58 : craft shop/Takayama city, Japan
59 : Japanese confectionery/Nagano city, Japan
60 : tavern/Hiroshima city, Japan
61 : tavern/Hiroshima city, Japan
62 : tavern/Fukuoka city, Japan
63 : lacquer ware/Hirosaki city, Japan

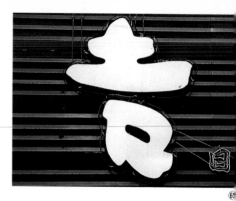

美味い料理にお酒
お気に入りの器で
人が居て話が弾む
そんな食卓を……
生活雑器の店・一器

'noren'(curtain)

暖簾

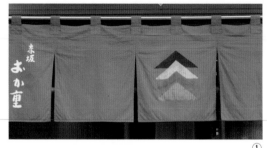

①

②

1：割烹/東京・赤坂
2：ファッション＆インテリア用品/京都市
3：土産品/岐阜・高山市
4：日本料理/福岡市
5：香/島根・津和野町
6：資料館/岐阜・高山市
7：和食/岐阜・高山市

1 : Japanese restaurant/ Akasaka, Tokyo, Japan
2 : fashion & interior ware/ Kyoto city, Japan
3 : souvenir/ Takayama city, Japan
4 : Japanese restaurant/ Fukuoka city, Japan

5 : incense/ Tsuwano-machi, Simane, Jo
6 : historical material hall/ Takayama Japan
7 : Japanese restaurant/ Takayama c Japan

うさぎ舎
USAGIYA

③

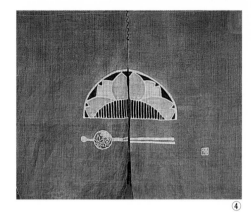

④

分銅屋七衛門

創業享保二年

⑤

寺保屋

⑥

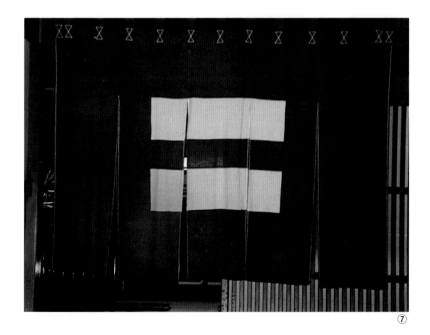

⑦

⑨

⑩

⑪

8：土産品/岡山・倉敷市
9：造り酒屋/香川・琴平町
10：オフィス/北海道・小樽市
11：うどん/神奈川・平塚市

8 : souvenir/Kurashiki city, Japan
9 : 'sake' brewer/Kotohira-machi,
　　Kagawa, Japan
10 : office/Otaru city, Japan
11 : noodles/Hiratsuka city, Japan

①

②

③

④

⑤

⑥

⑦

1：七宝／名古屋市
2：旅館／神奈川・箱根町
3：居酒屋／仙台市
4：陶器／大阪市
5：蕎麦／鹿児島市
6：日本料理／仙台市
7：和菓子／水戸市

1：cloisonn ware／Nagoya city, Japan
2：Japanese inn／Hakone-machi, Kanagawa, Japan
3：tavern／Sendai city, Japan
4：ceramics／Osaka city, Japan
5：'soba'(buckwheat noodles)／Kagoshima city, Japan

6：Japanese dish／Sendai city, Japan
7：Japanese confectionery／Mito city, Japan

(9)

(10)

(11)

(12)

(13)

(14)

(15)

(16)

8：和菓子／京都市
9：日本料理／名古屋市
10：居酒屋／福岡市
11：蕎麦／京都市
12：和菓子／岐阜・高山市
13：味噌／岐阜・高山市
14：和菓子／岡山・倉敷市
15：割烹／岡山市
16：日本料理／福岡市

8 : Japanese confectionery/Kyoto city, Japan
9 : Japanese restaurant/Nagoya city, Japan
10 : tavern/Fukuoka city, Japan
11 : 'soba'(buckwheat noodles)/Kyoto city, Japan
12 : Japanese confectionery/Takayama city, Japan

13 : 'miso'(bean past)/Takayama city, Japan
14 : Japanese confectionery/Kurashiki city, Japan
15 : Japanese dish/Okayama city, Japan
16 : Japanese restaurant/Fukuoka city, Japan

⑰

⑱

⑲

⑳

㉑

(22)

(23)

(24)

(25)

17：割烹/鹿児島市
18：居酒屋/長崎市
19：パブ レストラン/沖縄市 コザ
20：日本料理/仙台市
21：日本料理/東京・代官山
22：土産品/岐阜・高山市
23：茶屋/京都市
24：和菓子/京都市
25：和菓子/長崎市

17 : Japanese restaurant/Kagoshima city, Japan
18 : tavern/Nagasaki city, Japan
19 : pub restaurant/Koza, Okinawa city, Japan
20 : Japanese restaurant/Sendai city, Japan
21 : Japanese restaurant/Daikanyama, Tokyo, Japan
22 : souvenir/Takayama city, Japan
23 : Japanese restaurant/Kyoto city, Japan
24 : Japanese confectionery/Kyoto city, Japan
25 : Japanese confectionery/Nagoya city, Japan

(26)

(27)

(28)

(29)

(30)

(31)

(32)

(33)

26：呉服/札幌市
27：和食/東京・代官山
28：日本茶/京都市
29：造り酒屋/岐阜・高山市
30：茶屋/京都市
31：刃物/東京・新宿
32：和菓子/京都市
33：居酒屋/大阪市

26 : 'kimono'shop/ Sapporo city, Japan
27 : Japanese restaurant/ Daikanyama,
Tokyo, Japan
28 : green tea/ Kyoto city, Japan
29 : 'sake' brewer/ Takayama city, Japan
30 : cafe(Japanese style)/ Kyoto city, Japan
31 : cutlery/ Shinjuku, Tokyo, Japan

32 : Japanese confectionery/ Kyoto city,
Japan
33 : tavern/ Osaka city, Japan

標識

ギャラリー/東京・初台
gallery/Hatsudai, Tokyo, Japan

sign

 Signpost

道標

①

②

(3)

(4)

(5)

1：道路標識／北海道・帯広市
2：道路標識／スイス・グスタード
3：道標／スイス・リギ
4：道路標識／スイス・クライネシャイデッ
　ク
5：道標／スイス・リギ

1 : road sign/Obihiro city, Japan
2 : road sign/Gstaad, Switzerland
3 : guidepost/Rigi, Switzerland
4 : road sign/Kuleine Scheeidegg,
　　Switzerland
5 : guidepost/Rigi, Switzerland

①

③

②

④

⑤

1：商業ビル／東京・渋谷
2：標識／アメリカ・ニューヨーク
3：スポーツグッズ／スイス・モントルー
4：標識／アメリカ・ニューヨーク
5：ＯＡ機器／広島市
6：オブジェ／アメリカ・ニューヨーク

1 : commercial building／Shibuya,
Tokyo, Japan
2 : sign／New York, U.S.A.
3 : sports goods／Montreux,
Switzerland
4 : sign／New York, U.S.A.

5 : stationery & appliances／
Hiroshima city, Japan
6 : objet／New York, U.S.A.

⑦

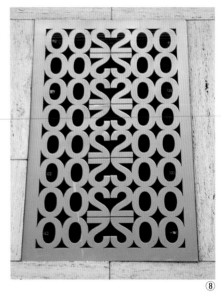

⑧

⑨

⑩

⑪

⑫

⑬

⑭

⑮

⑯

⑰

⑱

7：ジーンズ/広島・福山市
8：オフィスビル/アメリカ・ニューヨーク
9：ファッション ブティック/島根・松江市
10：スペイン料理レストラン/ドイツ・フランクフルト
11：標識/アメリカ・ニューヨーク
12：ポスター/フランス・パリ
13：ホテル/北海道・函館市
14：オフィスビル/アメリカ・サンフランシスコ
15：CD/東京・渋谷
16：標識/アメリカ・ニューヨーク
17：串焼/岡山・倉敷市
18：標識/アメリカ・ニューヨーク

7 : jeans shop/Fukuyama city, Japan
8 : office building/New York, U.S.A.
9 : fashion boutique/Matsue city, Japan
10 : Spanish restaurant/Frankfurt, Germany
11 : sign/New York, U.S.A.
12 : poster/Paris, France
13 : hotel/Hakodate city, Japan
14 : office building/San Francisco, U.S.A.
15 : disk/Shibuya, Tokyo, Japan
16 : sign/New York, U.S.A.
17 : tavern/Kurashiki city, Japan
18 : sign/New York, U.S.A.

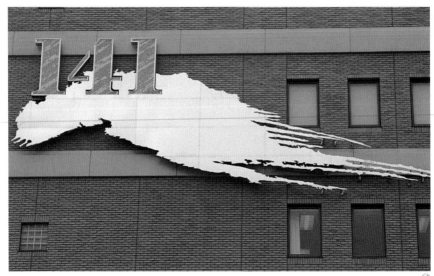
⑲

⑳

㉑

(22)

(23)

(24)

(25)

19：商業施設/仙台市
20：ファニチュア/フランス・パリ
21：ファッション ブティック/沖縄市 コザ
22：商業ビル/アメリカ・ニューヨーク
23：標識(ヨット)/沖縄・恩納村
24：アンティーク/フランス・パリ
25：ジーンズ/ギリシャ・アテネ
26：ファッション ブティック/神戸市
27：ホビー/札幌市

19 : commercial building/Sendai city, Japan
20 : furniture/Paris, France
21 : fashion boutique/Koza, Okinawa city, Japan
22 : commercial building/New York, U.S.A.
23 : sign(yacht)/Onna-son, Okinawa, Japan
24 : antique/Paris, France
25 : jeans shop/Athens, Greece
26 : fashion boutique/Kobe city, Japan
27 : hoby/Sapporo city, Japan

(26)

(27)

arrow

矢印

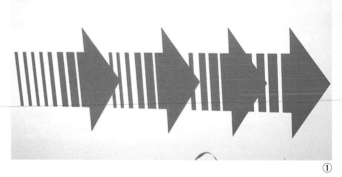

①

②

③

④

⑤

1：標識／スイス・ジュネーブ
2：コンサートホール／ノルウェイ・オスロ
3：ホテル／スイス・リギ
4：パーキング／ベルギー・ブリュッセル
5：ショッピングセンター／アメリカ・ハワイ・ホノルル
6：ファッション ブティック／ノルウェイ・オスロ
7：ブックフェア／ドイツ・フランクフルト
8：レストラン／アメリカ・ニューヨーク
9：ショッピングセンター／アメリカ・ハワイ・ホノルル

10：標識／ドイツ・クロンベルグ
11：ファッションビル／石川・金沢市
12：オフィスビル／千葉・幕張

1 : sign/Genève, Switzerland
2 : concert hall/Oslo, Norway
3 : hotel/Rigi, Switzerland
4 : parking/Bruxlles, Belgium
5 : shopping center/Honolulu, Hawaii, U.S.A.

6 : fashion boutique/Oslo, Norway
7 : book fair/Frankfurt, Germany
8 : restaurant/New York, U.S.A.
9 : shopping center/Honolulu, Hawaii, U.S.A.
10 : sign/Kronberg, Garmany
11 : fashion building/Kanazawa city, Japan
12 : office building/Makuhari, Ciba city, Japan

⑥

⑨

BURG
CRONBERG

⑩

⑦

Messe
Frankfurt

IN

LAPORTO MUSEUM

5F

4F Samurai

3F

LAPORTO

2F MEN'S館
1F TASTE館
B1 ACTIVE館

⑪

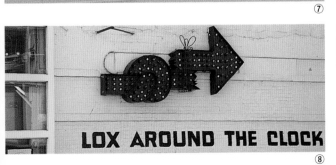

LOX AROUND THE CLOCK

⑧

中央館 CENTRAL
アトリウム ATRIUM

TOWER EAST 東高層館
帝京情報技術専門学校
情報技術生涯学習センター

⑫

⑬

PASSAGE - VON WERDT
Cinema Splendid

⑭

MESSINA
CHRISTINE

⑮

消防はしご車

⑯

EAST WING
PARKING GARAGE
LAUSANNE ROOM
MONTREUX ROOM
CHRISTIAN CAMBUZAT
BOUTIQUE
COIFFEUR
SPORTS CENTER

⑰

(21)

(22)

ELEVATOR

(23)

SONIC ARROW

(24)

(28)

(29)

(25)

(26)

(27)

21：ホテル/スイス・ツェルマット
22：レストラン/ベルギー・ブリュッセル
23：商業ビル/横浜市
24：電器/東京・渋谷
25：プレイガイド/東京・渋谷
26：サイン/東京・原宿
27：ファッション　ブティック/ドイツ・ケルン
28：案内サイン（駅）/スイス・チューリッヒ
29：案内サイン（駅）/スイス・チューリッヒ

21 : hotel/ Zermatt, Switzerland
22 : restaurant/ Bruxelles, Belgium
23 : commercial building/ Yokohama
   city, Japan
24 : electrical appliances/ Shibuya,
   Tokyo, Japan
25 : theater ticket agency/ Shibuya,
   Tokyo, Japan
26 : sign/ Harajuku, Tokyo, Japan
27 : fashion boutique/ Köln, Germany
28 : direction sign(station)/ Z rich,
   Switzerland
29 : direction sign(station)/ Z rich,
   Switzerland

poster

ポスター

③

⑥

①

④

⑦

②

⑤

⑧

(9)

(10)

(11)

(12)

●ポスター コラム
1：オーストリア・ウィーン
2：ドイツ・フランクフルト
3：ドイツ・デュッセルドルフ
4：ドイツ・フランクフルト
5：ドイツ・フランクフルト
6：オランダ・ロッテルダム
7：ドイツ・フランクフルト
8：オランダ・アムステルダム
9：ドイツ・マインツ
10：フランス・パリ
11：ベルギー・ブリュッセル
12：フランス・パリ

●poster column
1：Wien, Austria
2：Frankfurt, Germany
3：Düsseldorf, Germany
4：Frankfurt, Germany
5：Frankfurt, Germany
6：Rotterdam, Netherlands
7：Frankfurt, Germany
8：Amsterdam, Netherlands
9：Mainz, Germany
10：Paris, France
11：Bruxlles, Belgium
12：Paris, France

(13)

(14)

(15)

(16)

(17)

(18)

(19)

(29)

(30)

(31)

(32)

(34)

(35)

(33)

(36)

bannar
pennant

バナー・ペナント

①

②

③

④

⑤

⑥

⑦

212

⑧

⑨

⑩

⑪

1：料飲ビル/札幌市
2：劇場/東京・銀座
3：ショッピングモール/静岡・浜松市
4：バー/大阪市
5：美容室/北海道・函館市
6：ショールーム/フランス・パリ
7：イタリア料理レストラン/横浜市
8：商業ビル/東京・銀座
9：ショッピングセンター/横浜市
10：アイスクリーム/アメリカ・ニューヨーク
11：ギャラリー/大阪市
12：アイスクリーム/北海道・函館市
13：ファッション ブティック/アメリカ・
　　ニューヨーク

1 : restaurant building/Sapporo city,
　　Japan
2 : theatre/Ginza, Tokyo, Japan
3 : shopping mall/Hamamatsu city,
　　Japan
4 : bar/Osaka city, Japan
5 : beauty salon/Hakodate city,
　　Japan
6 : showroom/Paris, France
7 : Italian restaurant/Yokohama city,
　　Japan
8 : commercial building/Ginza,
　　Tokyo, Japan
9 : shopping center/Yokohama city,
　　Japan
10 : ice cream/New York, U.S.A.
11 : gallery/Osaka city, Japan
12 : ice cream/Hakodate city, Japan
13 : fashion boutique/New York,
　　U.S.A.

⑫

⑬

⑮

⑱

⑯

⑲

⑰

14：ショッピングセンター／神戸市
15：玩具／長崎市
16：シューズ／北海道・旭川市
17：ファッション ブティック／長崎市
18：ショッピングセンター／横浜市
19：ファッションビル／東京・原宿

14 : shopping center/Kobe city, Japan
15 : toy/Nagasaki city, Japan
16 : shoes/Asahikawa city, Japan
17 : fashion boutique/Nagasaki city,
      Japan
18 : shopping center/Yokohama city,
      Japan
19 : fashion building/Harajuku, Tokyo,
      Japan

(20)

(23)

(21)

(22)

20：料飲ビル／札幌市
21：百貨店／東京・銀座
22：商業ビル／名古屋市
23：商業ビル／千葉・浦安市
24：百貨店／神奈川・相模原市
25：レストラン／千葉・幕張
26：商業ビル／東京・町田市
27：百貨店／名古屋市
28：ファッションビル／札幌市
29：商業ビル／千葉・浦安市

20 : restaurant building/Sapporo city,
     Japan
21 : department store/Ginza, Tokyo,
     Japan
22 : commercial building/Nagoya city,
     Japan
23 : commercial building/Urayasu city,
     Japan
24 : department store/Sagamihara city,
     Japan
25 : restaurant/Makuhari, Chiba city,
     Japan
26 : commercial building/Machida city,
     Tokyo, Japan
27 : department store/Nagoya city,
     Japan
28 : fashion building/Sapporo city,
     Japan
29 : commercial building/Urayasu city,
     Japan

㉔

㉗

㉕

㉘

㉖

㉙

㉚

㉛

(32)

(34)

(33)

(35)

(36)

30：ファッション ブティック/アメリカ・ニューヨーク
31：インテリア用品/大阪市
32：商業施設/北海道・釧路市
33：百貨店/北海道・函館市
34：オフィス/フランス・パリ
35：商業施設/神奈川・川崎市
36：スーパーマーケット/スイス・モントルー

30 : fashion boutique/New York, U.S.A.
31 : interior goods/Osaka city, Japan
32 : commercial building/Kushiro city, Japan
33 : department store/Hakodate city, Japan
34 : office/Paris, France
35 : commercial building/Kawasaki city, Japan
36 : suparmarket/Montreux, Switzerland

㊲

⊛

⊛

⊛

⊛

⊛

⊛

44 : メンズ ブティック/横浜市
45 : 商業施設/神戸市
46 : 商業施設/神戸市
47 : 百貨店/札幌市
48 : サッカー用品/東京・渋谷
49 : パスタ レストラン/兵庫・姫路市

44 : men's boutique/Yokohama city,
　　　Japan
45 : commercial building/kobe city,
　　　Japan
46 : commercial building/kobe city,
　　　Japan
47 : department store/Sapporo city,
　　　Japan
48 : football ware/Shibuya, Tokyo,
　　　Japan
49 : restaurant(pasta)/Himeji city,
　　　Japan

pharmacy

ファーマシー

①

②

③

④

⑤

(6)

(7)

(8)

(9)

HOMEO-PHYTO

(10)

●ファーマシー
1：フランス・パリ
2：フランス・パリ
3：フランス・パリ
4：フランス・パリ
5：フランス・パリ
6：フランス・パリ
7：フランス・パリ
8：イタリア・ローマ
9：フランス・パリ
10：フランス・パリ
11：イタリア・ローマ

●phamacy
1 : Paris, france
2 : Paris, France
3 : Paris, France
4 : Paris, France
5 : Paris, France
6 : Paris, France
7 : Paris, France
8 : Roma, Italy
9 : Paris, France
10 : Paris, France
11 : Roma, Italy

FARMACIA
PRODOTTI OMEOPATICI

SARTEUR

(11)

collective sign

集合サイン

①

②

③

④

⑤

⑥

⑦

1：ショッピングセンター/横浜市
2：商業ビル/神戸市
3：オフィス/札幌市
4：レストラン/京都市
5：案内サイン/北海道・帯広市
6：飲食ビル/鳥取・米子市
7：銀行/福岡市

1 : shopping center/Yokohama city, Japan
2 : commercial building/kobe city, Japan
3 : office/Sapporo city, Japan
4 : restaurant/Kyoto city, Japan
5 : guidepost/Obihiro city, Japan
6 : restaurant building/Yonago city, Japan
7 : bank/Fukuoka city, Japan

(8)

(9)

⑩

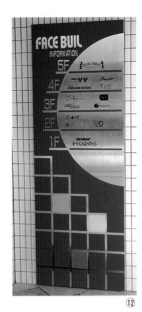

⑫

⑪

⑬

8：オフィスビル／千葉市幕張
9：案内サイン／ブラジル・サンパウロ
10：ファッションビル／東京・自由が丘
11：カフェ／兵庫・西宮市
12：飲食ビル／鳥取・米子市
13：ファッションビル／東京・銀座

8 : office building / Makuhari, Chiba
  city, Japan
9 : direction sign / São Paulo Brazil
10 : fashion building / Jiyugaoka, Tokyo,
  Japan
11 : cafe / Nishinomiya city, Japan

12 : resturant building / Yonago city, Japan
13 : fashion building / Ginza, Tokyo, Japan

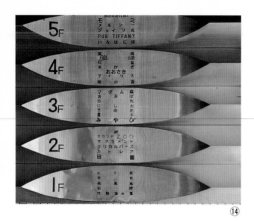

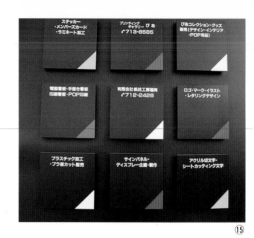

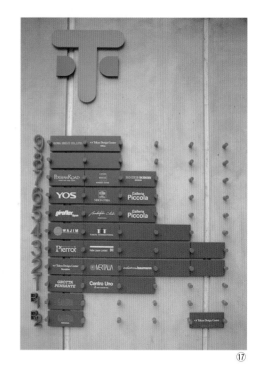

14：飲食ビル/広島市
15：オフィス/福岡市
16：商業ビル/札幌市
17：ショールーム/東京・五反田
18：ゲームセンター/東京・新宿
19：オフィスビル/東京・代官山
20：オフィスビル/東京・新宿
21：商業ビル/東京・墨田
22：オフィスビル/東京・上野

14 : restaurant building/Hiroshima city, Japan
15 : office/Fukuoka city, Japan
16 : commercial building/Sapporo city, Japan
17 : showroom/Gotanda, Tokyo, Japan
18 : game center/shinjuku, Tokyo
19 : office building/Daikanyama, Tokyo, Japan

20 : office building/Shinjuku, Tokyo, Japan
21 : commercial building/Sumida, Tokyo, Japan
22 : office building/Ueno, Tokyo, Japan

GAME WORLD

INFORMATION

6 Entertainment TAITO
■ ゲーム ミュージアム

5

4 Sports & Joy TAITO
■スポーツゲーム ■ビデオゲーム
■バッティングゴルフ

3 Casino TAITO
■大型メダルゲーム
■メダルゲーム ・レストスペース

2 Medalist TAITO
■大型メダルゲーム
■メダルゲーム

1 TAITO Promotion
■体感ゲーム ■クレーン
■占い

TAITO INN

⑱

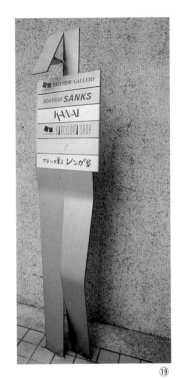

⑲

⑳

㉑

㉒

P parking

パーキング

③

④

①

②

⑤

⑥

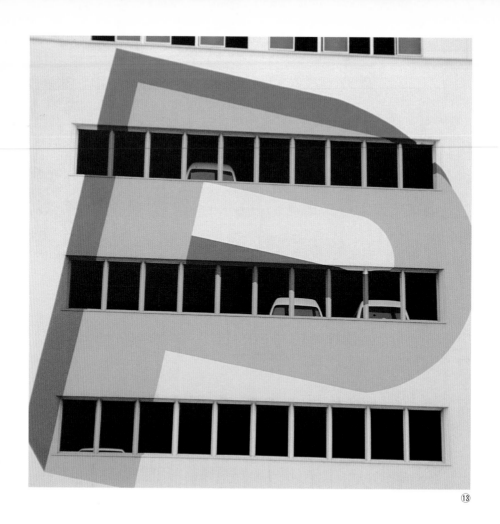

⑬

⑭

13：パーキング／福岡・北九州市小倉
14：パーキング／北海道・旭川市
15：パーキング／広島市
16：マリーナ／北海道・小樽市
17：レストラン／横浜市
18：オフィスビル／ドイツ・デュッセルドルフ
19：ステーショナリー／ドイツ・マインツ

13 : parking/ Kokura, Kita-kyushu city, Japan
14 : parking/ Asahikawa city, Japan
15 : parking/ Hiroshima city, Japan
16 : marine/ Otaru city, Japan
17 : restaurant/ Yokohama city, Japan
18 : office building/ Düsseldorf, Germany
19 : stationery/ Mainz, Germany

20：パーキング/広島・呉市
21：駐輪場/横浜市
22：駐輪場/広島・呉市
23：標識/オランダ・アムステルダム
24：駐輪場/神奈川・相模原市
25：スーパーマーケット/埼玉・
　　秩父市
26：ショッピングセンター/横浜市
27：ショッピングセンター/神戸市
28：オフィスビル/千葉市幕張

29：自転車スタンド/スイス・ベルン
30：標識/札幌市
31：百貨店/東京・錦糸町
32：自転車スタンド/ドイツ・デュッセルド
　　ルフ
33：標識/北海道・登別市

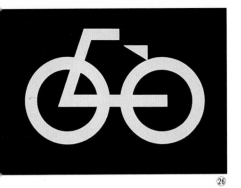

㉖ ㉗

㉘ ㉙ ㉚

㉛ ㉜ ㉝

20 : parking/Kure city, Japan
21 : bicycle park/Yokohama city, Japan
22 : bicycle park/Kure city, Japan
23 : road sign/Amsterdam, Netherland
24 : bicycle park/Sagamihara city, Japan
25 : supermarket/Chichibu city, Japan
26 : shopping center/Yokohama city,
     Japan
27 : shopping center/Kobe city, Japan
28 : office building/Makuhari, Ciba city,
     Japan

29 : bicycle stand/Bern, Switzerland
30 : sign/Sapporo city, Japan
31 : department store/Kinshi-cho, Tokyo,
     Japan
32 : bicycle stand/Düsseldorf, Germany
33 : sign/Noboribetsu city, Japan

lavatory

トイレ

①

②

③

④

⑤

⑥

⑦

⑧

⑨

⑩

⑪

⑫

⑬

⑭

⑮

⑯

⑰

⑱

1-2：テーマパーク/北海道・芦別市
　3：アミューズメントパーク/東京・
　　　二子玉川
4-5：公衆トイレ/北海道・函館市
　6：ミュージアム/横浜市
7-8：公衆トイレ/福岡市
9-10：ホテル/イタリア・フィレンツェ
11-12：ショッピングセンター/横浜市
13-14：テーマパーク/神戸市
15-16：公衆トイレ/青森・弘前市
17-18：公衆トイレ/福岡市

1-2 : theme park/Ashibetsu city, Japan
　3 : amusement park/Futako-
　　　tamagawa, Tokyo, Japan
4-5 : public lavatory/Hakodate city,
　　　Japan
　6 : museum/Yokohama city, Japan
7-8 : public lavatory/Fukuoka city,
　　　Japan
9-10 : hotel/Firenze, Italy
11-12 : shopping center/Yokohama city,
　　　Japan
13-14 : theme park/Kobe city, Japan
15-16 : public lavatory/Hirosaki city,
　　　Japan
17-18 : public lavatory/Fukuoka city

ワールド サイン2／マーク・ロゴ編

1993年11月25日　初版第1刷発行

グラフィック社編集部編
発行者　　　久世利郎
印刷・製本　日本写真印刷株式会社
写植　　　　有限会社福島写植
英文　　　　株式会社海広社
協力
レイアウト　ばとおく社
カバーデザイン　ウィークエンド株式会社
発行所　　　株式会社グラフィック社
　　　　　　〒102 東京都千代田区九段北1-9-12
　　　　　　電話03-3263-4318

ISBN4-7661-0742-X C2052